POISSON-LUNE
PWASON-LALIN

DES MÊMES AUTEURS
aux éditions de L'Harmattan

Ouvrages bilingues créole / français

Collection La Légende des mondes
Soleil, diables et merveilles

Collection Contes des quatre vents
Bloomoune
O'Gaya
Célia et le soleil
Cheval de bois (disponible en cassette créole-français)
Ti Pocame
Samantha
Mateo
Balthazar le petit lézard

© L'Harmattan, 1999
5-7, rue de l'École-Polytechnique
75005 Paris – France
L'Harmattan, Inc.
55, rue Saint-Jacques, Montréal (Qc)
Canada H2Y 1K9
L'Harmattan, Italia s.r.l.
Via Bava 37
10124 Torino
ISBN : 2-7384-8250-3

Isabelle et Henri CADORÉ

POISSON-LUNE
PWASON-LALIN

Illustrations de Bernadette Coléno

Bilingue créole / français

L'Harmattan

Matiréo, Matiréo an lil o van, an wòch vèt anlè loséan. Jou o swè-tala, lalin-la rouj.

An mitan laforé Mayna ka akouché. Twa fanm doubout la, san brennen, san palé. An difé ka kléré lonbraj sé fanm-la apiyé anlè lannuit-la, yo la kon dé èstati nwè, pèsonn pa sav sa yo ka sonjé.

Jou oswè-tala, ialin-la wouj.

Timanmay-la batyé anlè pirog lavi, manman'y anlè pirog lanmò. Ansanm, timanmay-la kriyé pou prémyé fwa, lifou vansé ; i ka pran timanmay-la dan bra'y épi i alé an bouk. I ka lévé timanmay-la pa anlè tèt li dwèt douvan lalin épi zétwal.

Matiréo, Matiréo, île du vent, pierre verte sur l'océan, la lune est rousse ce soir.

Dans la forêt, Maïna enfante. Trois femmes sont là, immobiles et silencieuses. Un feu flambe et les ombres se découpent dans la nuit, statues sombres et énigmatiques.

La lune est rousse ce soir.

L'enfant s'est embarqué sur la pirogue de la vie et sa mère sur la pirogue de la mort. Au premier cri de l'enfant, le Fou s'approche. Il prend l'enfant dans ses bras et entre dans le village. Il soulève l'enfant au-dessus de sa tête, face à la lune et aux étoiles.

I ka tounen twa fwa anlè koy menm épi i ka résité :

- Manman'w té Mayna, papa'w té an nonm -pwason koulè lajan. Pandan lannuit-tala, an lannuit lavi épi lanmò, lalin gadé'w. Yo ké kriyé'w Pawson-lalin.

Lifou ka tounen gadé tout sé moun-la ki san-blé la épi i ka mandé :

- Sa ki lé Pwason-lalin, ki sé yich latè épi loséan ? Sa ki lé'y pou enmen'y, nouri'y, karésé'y épi mennen'y dan chumen lavi a ? Sa ki lé'y ?

Mé chak sé moun-la viré tèt. Sé pè yo pè. Sa an timanmay né apré an lanmou kon sa ké divini.

Jou oswè-tala lalin-la wouj.

Lifou ka pété ri épi i ka lévé Pwason-lalin épi i ka kriyé :

- Sé ké yich mwen, i ké Pwason-lalin, yich lifou, Mayna épi nonm-pwason koulè lajan. Fo pa jenmen pèsonn fè'y du tò, dépi jòdi jou sé yich mwen.

I ka pati, Pwason-lalin séré an fon bra'y. Sanblaj moun la ka gayé, épi anmè kon rasin mannyòk, sé pawòl-la ka distilé lapè épi lahenn.

- Lifou ankò pli fou.

- Vomyé i sé rann loséan timanmay-taa.

- Sa sé malè, ryen ki malè.

- Fo dwa pa nou kité sé yich nou a jwé épi dimi zannimo-tala.

Il tourne trois fois sur lui-même et il psalmodie :

- Ta mère fut Maïna et ton père un homme-poisson argenté. En cette nuit de vie et de mort, la lune t'a contemplé, tu t'appelleras Poisson-lune.

Le Fou se tourne vers l'assemblée et demande :

- Qui veut de Poisson-lune, né de la terre et de l'océan ? Qui le veut pour l'aimer et le nourrir, le caresser et le guider dans la vie ? Qui le veut ?

Mais chacun se détourne en silence, ils ont peur. Que sera cet enfant né d'un amour si étrange ?

La lune est rousse ce soir.

Le Fou éclate de rire, soulève Poisson-lune et leur crie :

- Il sera mien, il sera Poisson-lune, l'enfant du Fou, de Maïna et de l'homme-poisson argenté. Que nul ne lui fasse jamais de mal, dorénavant il est mien !

Il s'éloigne, Poisson-lune blotti au creux de ses bras. L'assemblée se disperse et les paroles, racines amères de manioc, distillent la peur et la haine.

- Le Fou est encore plus fou !

- Il ferait mieux de rendre cet enfant à l'océan.

- Du malheur, rien que du malheur !

- Il faudra empêcher nos enfants de jouer avec ce demi-animal !

- Si sé pa té Lifou, nou té ké ja viré voyé'y a kay sé zonbi-a, la i sòti a.

Piti a piti, sé pawòl lahenn étenn, yo chak viré bò kay yo, yo fyè pas yo kon tout moun , yonn a lòt ka sanm lòt. Tout ti bwi lannuit-la ka bèsé bouk-la ki ka pran sonmèy.

Jou oswè -tala, lalin-la té wouj.

Pwason-lalin, vini gran, sé an timanmay biza, chuveu'y frizé koulè lajan. Zyé'y kon loséan, lapo'y kon tyuiv, kòy long, sé an liann. Sé lé zot timanmay pa sa wè'y.

- Woy ! sa ka pit pwason pouri kon sa ?

- Yonn sé jou-a nou kay tjwé'w épi nou kay fè'w roti pou nou manjé'w.

Lafèt yo ka fè épi'y, a kwè di wòch filé kon  razwè, ka raché tjè'y an ti mòso. Pwason-lalin ka'y séré obò lifou. Lifou ki tout moun-la pè, mé yo ka rès-pèkté'y, lifou ki ka palé ba zétwal, ba tout lèspri , ki ka fè rèv lalin. Lifou ki sé li tou yonn ki enmen'y. Lè i ka wè Pwason-lalin zyé'y plen dlo ka kléré, i ka di'y dousman :

- Gadé piti, mwen kay fè an lak épi flèch ba'w. Mwen kay aprann ou vizé dwèt.

Lifou ka montré'y ki mannyè pou i fè lachas

- S'il n'y avait pas eu le fou, nous l'aurions renvoyé chez les mauvais esprits d'où il vient.

Peu à peu, les paroles haineuses s'éteignent, chacun rentre chez soi, fier d'être normal et semblable à son voisin. Le bruissement de la nuit berce le village qui s'endort.

La lune est rousse ce soir.

Poisson-lune a grandi, étrange enfant à la chevelure frisée et argentée, aux yeux d'océan, à la peau cuivrée, au corps long et fluide. Les autres enfants le repoussent.

- Pouah ! ça sent le poisson pourri par ici.

- Un jour nous te tuerons et nous te grillerons pour te manger.

Les moqueries, pierres acérées, lacèrent son cœur. Poisson-lune se réfugie près du Fou, le Fou que la tribu craint et respecte, le Fou qui parle aux étoiles, aux esprits et rêve à la lune, le Fou qui est le seul à l'aimer. Quand il voit Poisson-lune les yeux brillants de larmes, il lui dit doucement :

- Regarde, petit, je vais te faire un arc et des flèches. Je t'apprendrai à viser juste.

épi lapèch, ki mannyè yo ka konsui an pirog, ki mannyè yo ka navigé anlè lanmè. Lifou koumansé ka vini vyé, ni li, ni timanmay-la pa ka kouri ankò alantoun lil-la. Yo ka mété kò yo anlè an plaj, ka gadé lanmè, do yo ka bay anlè lamontangn.

Pwason-lalin ka travay an pyès tè. Adan'y, i ka planté yanm, bannann, tabak épi mannyok. Dépi an tan lé prémyé zansèt, sé fanm ki ka swen jaden, mé pis yo tou yonn, lifou aprann li travay latè. Dé lè Pwason-lalin ni rigré sé vwayaj-la yo té ka fè a adan sé mòn-la. I té enmen konnèt dòt koté, pasé san kité an ti tras.

Tan-a glisé alé kon an gout dlo jenmen las, won kon an boul. Tan-a glisé alé. Lè solèy kouché, loséan ka bèsé rèv yo, lamontangn ka pouchiné. An mitan lannuit lavwa lifou ka monté :

- Pwason-lalin gadé loséan, si an jou ou an danjé, ay séré an mitan lanmè blé a.

Difé-a ka dansé an mitan dousin lannuit-la.

Pwason-lalin ka mimiré :

- Rakonté mwen an kont.

Lifou ka limen pip li a, i ka kalé kòy anlè an gwo pyé rézen :

An tan lontan, Matiréo sé pa té an lil. Yanoa sòsyé té ka rété dan an gran chato fèt épi wòch lamontangn. Yanoa té fèmen sèpan a zèl dan an lajòl si

12

Le Fou lui apprend l'art de la chasse et de la pêche, il lui enseigne la fabrication des pirogues et l'art de la navigation. Le Fou se fait vieux : lui et son enfant ne se déplacent plus autour de l'île, ils s'installent sur une plage face à la mer, dos à la montagne.

Poisson-lune défriche un carré de terre, il plante des ignames, des bananiers, du tabac et du manioc. Depuis les premiers ancêtres, ce sont les femmes qui s'occupent des jardins mais, comme ils sont seuls, le Fou lui a appris à cultiver. Parfois Poisson-lune regrette les voyages à travers les mornes, il aimait découvrir des nouveaux paysages, passer sans laisser de traces.

Le temps a glissé, goutte d'eau inlassable, cercle parfait. Le temps a passé. L'océan berce leurs rêves quand tombe le soir et la montagne ronronne parfois.

La voix du Fou s'élève dans la nuit :

- Poisson-lune, regarde l'océan, si tu es en danger un jour, réfugie-toi dans ses flots bleus.

Le feu danse dans la douceur de la nuit, Poisson-lune murmure :

- Raconte-moi une histoire.

Le Fou allume sa pipe, se cale contre un gros raisinier :

Il y a bien des lunes, Matiréo n'était pas une île. Dans un palais de laves grises, vivait le sorcier Yanoa. Yanoa avait enfermé le Serpent-ailé dans une

*tan piti, i pa té pé wouvè zèl li. Yanoa té enmen
gwayé sépan a zèl :*

- Gwo vètè sa ou fè bonmaten-a ?

*Sèpan a zèl té si tan kòlè, ki i té ka rouklé, mé ayen,
pa an moun té pé ladjé'y. Tan-a kon sab té ka koulé
san rété, lajounen kon lannuit sé dé frè jimo ayen pa
pé séparé. An jou bonmaten, an mèl blan frè lu van
vini volé, ka souflé alantou chato wòch lamontangn :*

*- Wo ! Yanoa wo, wou gran sòsyé ou konprann ou
konnèt tout bagay asou latè, mé ni yonn ou pa konnèt.
Ansèl kòlè anparé Yanoa, alò i mété koy ka rélé :*

- Sé ki sa ?

- Sé gran térib sikré Grandbwa-a.

*- Ou sé an mantè, sakré isalop zibyé! Anlè latè
pa ni ayen mwen pa konnèt. Sé mwen ki mèt. Mèl
blan a ki sé frè épi van souflé :*

- Mandé sèpan a zèl, sé li dènyé veyado Granbwa.

*Ansanm i di sa, mèl blan a ki sé frè épi van, pran
lavol. Yanoa di sèpan a zèl, si ou di mwen sikré
Granbwa a, mwen ka ladjé'w.*

*Sèpan a zèl rété la ka gadé'y an bon moman, zyé'y
dimi fèmen, épi i di'y :*

14

prison de ténèbres si étroite qu'il ne pouvait étendre ses ailes. Yanoa aimait se moquer du Serpent-ailé :

- Gros vers de terre, comment vas-tu ce matin ?

Le Serpent-ailé sifflait de rage, mais rien, ni personne ne pouvait le délivrer. Le sable du temps coule inexorable, le jour et la nuit sont deux jumeaux inséparables. Un matin, le merle blanc, frère du vent, vola autour du palais de laves grises en sifflant :

- Oh! Yanoa, grand sorcier, tu connais toutes choses en ce monde sauf une.

- Laquelle ? hurla rageusement Yanoa.

- Le terrible secret de la Grande Forêt.

- Tu mens, oiseau de malheur ! De ce monde, rien ne m'est inconnu, j'en suis le maître !

Le merle blanc, frère du vent, siffla :

- Demande au Serpent-ailé, il est le dernier gardien de la Grande Forêt.

Sur ces mots, le merle blanc, frère du vent, s'envola. Yanoa proposa un marché au Serpent-ailé :

- Livre-moi le secret de la Grande Forêt et tu seras libre.

- *Mwen ké di'w sikré Granbwa a, sé sa ki ké pèdi'w. Ni an timanmay ki ka viv dan Granbwa-a, lapo'y koulè myèl rouj, dé zyé'y sé dé glas. Tou sa ki lé pé wè lavini yo dan zyé'y, èksèpté taa ki ké trapé'y la. Yanoa mété kòy ka ri a kwè di sé an rara lasumen sent :*

- *Sépan a zèl ou lib !*

Lajòl-la ki té fèt épi an lanpan lannuit anni disparèt, alò sépan a zèl bat zèl li épi i bay alé. An sèl kri lagoni pété syèl blé a. Lannuit pa té alantou sèpan a zèl mé andidan kòy menm, Yanoa té krévé zyé'y. Sèpan a zèl raché zèl li anlè tout défans gran chato a fèt épi wòch lamontangn. I mété koy ka tounen anlè koy menm an mitan syèl-la fèb pasé an fèy siklòn ka chayé. La i mò a, an brital pyéflanboyan mété koy ka woyé flé koulè lò épi san.

Tan-a kon sab ka koulé san rété, lajounen kon lannuit sé dé frè jimo ayen pa pé séparé.

Yanoa voyé an lèspri ki travèsé Granbwa épi ki pran timanmay-la. Pyès lafizik pa té pé défèt sa ki té fèt.

Granbwa mété pléré a tè, i ka pléré anlè timanmay-la ki té disparèt la. I sitan pléré, ke dlo zyé'y fè sé

Le Serpent-ailé le contempla longuement, ses longues paupières filtrant son regard d'or glacé et il dit :

- Je vais te dévoiler le secret de la Grande Forêt, car il sera ta perte. Dans la Grande Forêt vit un enfant de miel roux dont les yeux sont des miroirs. Chacun peut y lire son destin, sauf celui qui le capturera. Yanoa éclata d'un rire grinçant :

- Tu es libre, Serpent-ailé !

La prison de ténèbres disparut et le Serpent-ailé put s'envoler. Un cri de douleur fêla le bleu du ciel, les ténèbres n'étaient plus autour du Serpent-ailé mais en lui ; Yanoa l'avait rendu aveugle. Le Serpent-ailé se déchira les ailes sur les défenses du palais de laves grises, il tournoya dans le vide, plus faible qu'une feuille emportée par un cyclone. A l'endroit où il mourut, or et sanguine, fleurit un flamboyant magnifique et puissant

Le sable du temps coule inexorable, le jour et la nuit sont deux jumeaux inséparables.

Yanoa envoya un esprit qui traversa la Grande Forêt et enleva l'enfant.

Aucune magie ne put défaire ce qui avait été fait. La Grande Forêt pleura la disparition de l'enfant

larivyè-a parèt. Kanta pou Yanoa i byen san fouté, timanmay-la té la.

Timanmay-la gadé'y, zyé'y plen latristès. I fèmen zyé'y épi i woyé tout gran chuveu nwè'y la kouvè fidji'y.

Yanoa mété koy ka rélé :

- Rouvè zyé'w, ou tann mwen di'w rouvè zyé'w fout !

Mé timanmay-la rété la san brennen, san palé. Yanoa mété koy ka fè anlo jès lamaji ki maré timanmay-la épi fè i pa sa brennen. Yanoa pran an kouto, i koupé chuveu timanmay-la, i flandjé lapo kokozyé'y épi i fenmen'y dan an kalòj an lò.

Yanoa fè bat o son tjès : tou sa ki lé, té ké pé wè lavini yo dan zyé timanmay-la a kondisyon yo bay lò épi plim.

Tout gran chèf mété kouri vini épi anlo solda baté kon milé ka pòté tout kalité trésò adan gran chato fèt épi wòch lanmontagn. Yo chak té ka wè lavini yo dan zyé timanmay-la.

> *Ladjè, goumen*
> *laviktwa, pouvwè*
> *Glwa, lò*
> *Epi pou fini lanmò*
> *Lanmò ka griyen*
> *rouj kon san*

Tan-a kon sab ka koulé san rété, lajounen kon lannuit sé dé frè jimo ayen pa pé séparé.

et les rivières apparurent. Yanoa ne s'en soucia pas, l'enfant était là.

L'enfant le fixa tristement, ferma les yeux et ramena sa longue chevelure noire sur son visage.

- Ouvre les yeux ! rugit Yanoa.

Mais l'enfant resta immobile et silencieux. Yanoa traça dans l'espace des signes maléfiques qui paralysèrent l'enfant. Yanoa prit un couteau coupa les cheveux de l'enfant, lui trancha les paupières et l'enferma dans une cage d'or.

Yanoa fit savoir que chacun pourrait voir son destin dans les yeux de l'enfant en échange de pierres précieuses, d'or et de plumes.

Les caciques et leurs guerriers chargés de trésors affluèrent au palais de laves grises. Chacun voyait son destin dans les yeux de l'enfant.

Guerres et batailles
Victoires et pouvoir
Gloire et or
Et toujours la Mort
au sourire éclatant
rouge sang.

Le sable du temps coule inexorable, le jour et la nuit sont deux jumeaux inséparables.

*An bèl jou, an kolibri parèt, plim li ka chanjé
koulè san rété, bèk li filé pasé an bout flèch. I
rantré an kaj an lò a, alò timanmay-la di'y :*

*Zwézo, bèl zwézo
mwen la san brennen adan kalòj-tala
mwen pa pé sanfui
mwen pa pé mò.
Zwézo, bèl Zwézo
délivré mwen
pété kokozyé mwen !
Zwézo, bèl Zwézo
délivré mwen
pété kokozyé mwen !*

*Epi plim li kolibri-a fè an ti karès léjè, léjè anlè
ponm fidji timanmay-la épi i pété kokozyé'y. Pa an
gout san pa koulé mé an bèl dlo klè épi jwa. Dlo-a
chanjé an laravin, ravin ki bay désann tout lèskalyé
chato wòch lamontangn. Dlo-a chanjé an larivyè ka
désann mòn épi i néyé tout chanm   chato wòch
lamontangn. Dlo-a chanjé an loséan épi i kouvè
chato wòch lamontangn an menm tan épi tou sa ki*

Un jour apparut un colibri aux plumes chatoyantes,
au bec acéré comme une pointe de flèche. Il entra
dans la cage d'or et l'enfant lui dit :
Oiseau, bel oiseau
immobile en cette cage
je ne peux ni m'enfuir
ni mourir !
Oiseau, bel oiseau
délivre-moi !
Brise-moi les yeux!
Oiseau, bel oiseau
Brise-moi les yeux!

Le colibri effleura d'une caresse de plume la joue
de l'enfant et lui brisa les yeux. Nul goutte de sang
n'en coula, mais une belle eau claire et joyeuse.
L'eau devint ruisseau et dévala les escaliers du
palais de laves grises. L'eau devint torrent et noya
les pièces du palais de laves grises. L'eau devint
océan et engloutit le palais de laves grises et toutes

té alantou'y. Alò Matiréo té chanjé an lil.

Tan-a kon sab ka koulé san rété, lajounen kon lannuit sé dé frè jimo ayen pa pé séparé.

Lavwa lifou mò dan gòj li, ladousè lannuit anni vlopé yo.

Kabritbwa ka bèsé sé pyébwa-a, Pwason-lalin ka lévé épi i ka pati.

les terres autour. Matiréo était devenu une île.

Le sable du temps coule, inexorable, et le jour et la nuit sont deux jumeaux inséparables.

La voix du Fou s'est tue, la douceur de la nuit les enveloppe.

Les cabris de bois bercent les arbres, Poisson-lune se lève et part.

Poisson-lune

23

Jou oswè-tala lalin-la wouj.

Lè Pwason-lalin déviré, difé-a mò, poutan lifou pa djè ka dòmi sé tan-taa, dan lannuit vyolèt la, i enmen tjeyi pétal flè lalin.

Pwason-lalin ka kriyé :

- Oumé ! O !, Oumé ! O !

Sèl bagay i tann, sé an moun ka plenn. Lamenm i entjèt, i ka viré lumen difé-a, lanmen'y ka tranblé akwèdi i ni lafyèv. Dan limyè rouj difé a, sa i ka wè, joupa yo a krazé, raché menm konsidéré siklòn té pasé anlè'y.

Lifou té pann, an flè san biza ki té fléri pou primyé fwa adan an pyé rézen. Pwason-lalin ka

La lune est rousse ce soir.

Quand Poisson-lune revient, le feu est mort, pourtant le Fou ne dort plus beaucoup ces temps-ci, et il aime regarder les flammes danser et cueillir des pétales de lune dans la nuit violette.

Poisson-lune appelle :

   - Oumé ! Oumé !

Un gémissement lui répond. Inquiet, il rallume le feu avec des gestes fébriles. Dans la lumière fauve, il aperçoit leur campement dévasté, ravagé comme après un cyclone.

Le Fou est pendu, étrange fleur de sang qui ait jamais fleuri sur un raisinier. Poisson-lune détache

démaré lifou épi tou dous, i ka mété'y atè anlè sab-la. Pwason-lalin, gòj li pijé kon adan an léto ka kriyé :

- Oumé ! Oumé ! Sa ki fè sa, pou tji yo fè'y, Lifou ka raklé :

- Yo vini, sé nonm zwézo a, yo vini, mwen sé lifou , Pwason-lalin mon fi...

Pwason-lalin ka bèsé lifou anlè tjè'y, lifou ki fini palé. Jòdi jou i tou yonn, i toutou yonn. Sa i pé fè? Lifou pa té jenmen di'y ki mannyè yo ka téré moun. Lifou té enmen loséan, alòs i pran'y dan bra'y, i mété'y dan kannòt-la épi i pousé dérò tou pandan i ka chanté :

O ! Ouaal Solèy
pran lifou
pran'y a kay ou.
I té ka pòté dan kòy tout lafòs latè,
Solèy, lafòs tou sa ki tou patou
épi lakansyèl lavi a !
I té enmen mwen, mwen an timanmay biza,
an timanmay vanmennen.
I té enmen mwen é pou lanmou-tala
pli klè pasé dlo lasous
pli léjé pasé douvan jou,
pli fò pasé difé lamontangn.
Pran'y épi'w !

Pwason-lalin ka soufè, i ka soufè kon pa ni ! Kò'y sé an sèl né lasoufrans, zyé'y sèk ka brilé'y. Sagé-a an lanmen'y, i disparèt dan ti chumen ka men-

26

le fou et le couche doucement sur le sable.

- Oumé, Oumé qui a fait ça, et pourquoi ? demande Poisson-lune la gorge serrée.

Le Fou halète :

- Ils sont venus, les hommes-oiseaux, ils sont venus, je suis le Fou... Poisson-lune mon fils...

Poisson-lune berce contre lui le Fou qui s'est tu. Désormais, il est seul, complètement seul. Que faire ? Le Fou n'a pas eu le temps de lui parler du rite des funérailles. Le Fou aimait l'océan, il le soulève, l'installe dans la pirogue et pousse le bateau vers le large en chantant :

Oh! Ouaal le Soleil
accepte le Fou
dans ta maison.
Il portait en lui
les puissances cosmiques,
et l'arc-en-ciel de la vie !
Il m'a aimé, moi l'enfant étrange, étranger.
Il m'a aimé, et pour cet amour
plus pur que l'eau de source,
plus léger que l'aube,
plus puissant que le feu
de la montagne.
Accepte-le !

Poisson-lune a mal, comme il a mal ! Son corps n'est qu'un nœud douloureux, ses yeux sont secs et brûlants. La sagaie à la main, il s'enfonce dans les sentes qui mènent à la montagne. Il

nen anlé lamontangn. I pati kité kòté-tala i té ka sitan plè koy. Lifou té montré'y chumen zétwal, i té montré'y ki mannyè van té pé dous, ki mannyè van té pé ni gran lafòs. Sé pa ansèl fwa i té suiyé zyé Pwason-lalin, sé pa an sèl fwa i té fè'y pété ri. Mé i pa té jenmen distilé lasoulézon lahenn ni gou rak plézi lavanjans ka ba'w la.

Pwason-lalin ka pati san i ésayé pran larivanch lifou. I sav lanmò pa ka rann lavi. Lifou té mantjé'y, li ki té sa si tan byen rakonté kont, li ki té sa fè rèv, li ki té ka santi bon lòdè loséan, difé bwa, tabak épi pyébwa.

Pwason-lalin chalviré tèt li pou i gadé sé zétwal lò épi i rélé :
    O ! Oumé ! O ! tjè mwen ka fè mwen mal,
        Oumé papa mwen, péyi mwen,
      jòdi jou mwen adan ansèl lègzil !

Tout lannuit, Pwason-lalin maché, i maché pou i sa bliyé an ki mannyè tjè'y té ka brilé'y.

Douvan jou, i té las pasé las fèt, i rafalé koy an mitan rasin an fromajé. Solèy-la pran pityé du'y épi dan gran bouden cho épi dous li a i valé'y.

An sèl kou, Pwason-lalin lévé, wap ! épi i ka rélé :
    - Oumé O ! Oumé O !

Sa sèl ki réponn li sé chanté an siflè montangn ki té la tou yonn.

Alo laréalité fouté'y an sèl kout kalòt an mitan djòl : tout bagay té fini, jenmen Oumé pé ké la

quitte cet endroit où il fut heureux. Le Fou lui a enseigné le chemin des étoiles, il lui a appris la douceur et la violence des vents, il a séché bien des larmes et fait naître bien des rires chez Poisson-lune. Mais il n'a pas distillé dans son cœur l'ivresse de la haine et l'âcre plaisir de la vengeance.

Poisson-lune s'en va sans essayer de venger le Fou. Il sait que la mort ne rend pas la vie. Le Fou lui manque, lui qui savait si bien conter les histoires, lui le faiseur de rêves, lui qui fleurait bon l'océan, le feu de bois, le tabac et l'arbre.

Poisson-lune renverse la tête aux étoiles et hurle :

> Oh! Oumé, j'ai le mal de toi,
> Oumé, mon père, mon pays,
> désormais, je serai à jamais en exil !

Toute la nuit, Poisson-lune a marché, marché pour oublier la brûlure de son cœur.

Au petit matin, épuisé, il s'écroule entre les racines d'un fromager. Le sommeil a eu pitié de lui et dans son ventre chaud et doux l'a englouti. Soudain, Poisson-lune se réveille en sursaut et appelle :

- Oumé ! Oumé.

Seul le chant solitaire du siffleur des montagnes lui répond.

Alors la réalité le frappe de plein fouet : plus jamais Oumé ne sera présent à son réveil, plus

épi'y lè i ka lévé an sonmèy, jenmen yo pé ké alé vini ansanm dan granbwa, jenmen yo pé ké goumen épi gwo vag loséan, jenmen, jenmen...

Pwason-lalin sitan ka soufè, i naté koy anlè koy menm. Dwèt tan a gran rouvè, alò konmen lè ditan glisé alé adan yo, i pa sav. Di fèt Oumé pa té la, an vwèl gri té ka vlopé tout bagay. Pwason-lalin pa pli ka viv, sé véjété i ka véjété.

Tou sa ki alantou 'y ka fè'y sonjé Oumé, alò i pa djè ka rété menm koté a. I ka sanfui pli an pli lwen pou i aprann viv san Oumé. Lè Oumé mò a, twèl lavi a déchiré é i pa sav ki mannyè pou ramandé'y.

I janbé gran bwa-a ki anlè chumen lanmontan-gn, chanté an tan lontan, ti chanté koulè lakan-syèl, Lifou té nonmen tout flè, tout fwi épi tout pyébwa. Kokliko rouj kon san, boukenvilyé sovaj plen pikan, alamanda jòn, bèlté'y sé pwazon, ponmkannèl dous ka fonn kon lanmou an manman, kachiman ki ni an lachè mòl koulè andidan brigo. Fwomajé vyé kon Matuzalèm ki

jamais ils ne parcourront la forêt ensemble, plus jamais ils n'affronteront les rouleaux de l'océan, plus jamais, plus...

De douleur Poisson-lune s'enroule sur lui-même. Combien d'heures ont glissé entre les doigts ouverts du temps, il ne sait pas. L'absence d'Oumé a tout recouvert d'un voile gris. Poisson-lune ne vit plus, il survit.

Tout lui parle d'Oumé, alors il reste peu à la même place. Il fuit toujours plus loin pour essayer de vivre sans Oumé. Le tissu de sa vie s'est déchiré à la mort d'Oumé et il ne sait pas comment le retisser.

Il traverse la forêt qui mène à la montagne, chants anciens, mélopées chatoyantes, le Fou a nommé les fleurs, les fruits et les arbres. Rouge hibiscus, bougainvillées sauvages, jaune alamanda à la beauté empoisonnée, pommes-cannelles savoureuses, fondantes comme la tendresse, cachiman, chair onctueuse et nacrée. Fromager séculaire qui protège contre l'ardeur

ka prézèvé'w du chaleu solèy la, ki ka pèrmèt ou paré sé gwo gren lapi a. Balizyé-a sé an flèch rouj planté an mitan lavèdi épi pyéflanbwayan, pyébwa Pwason-lalin pli simyé, ki ka pété dan syèl kon mil zétwal san épi lò.

Bonmaten-a, syèl-la pli klè alò pou prémyé fwa dépi jou Oumè mò a, Pwason-lalin gadé sé niyaj-la ka pati, pa ti mòso adan van nordé a. I ni an zokobwa dan tjè'y, non'y sé Oumé mé jòdi jou i pé rukoumansé rèspiré épi plézi van fré bonmaten a.

I ka chanté tou dousman :
> Van-a ka bèsé sé niyaj-la
> loséan ka bèsé sé bato-a
> manman ka bèsé sé ych li
> é wou sa ou ka bèsé ?
> Mwen ka bèsé lapenn mwen,
> mwen ka bèsé lapenn mwen.

I ka maché, i sav la i lé alé, i lé alé obò loséan. I ké fè an pirog épi i ké pati chaché Gran Flèv la. Oumé té palé'y du sa, yo té pou alé yonn sé jou a chaché Gran Flèv la o lwen. Gran Flèv la ki ka glisé kon an gran sèpan fèt an lajan anlè latè Lézansèt. An tè gran pasé gran fèt, an tè ki pa ni dlo salé, an granbwa plen zwézo tout koulè, an laforè ou pa pé wè bout li.

I ka fè cho mé pa sitan, sikriyé épi kolibri ka montré'y chumen-a. Pwason-lalin ka maché, ant solèy épi lalin, tan-an ka balansé koy. An

du soleil et les ondées tropicales. Balisier, sagaie pourpre plantée au mitan de l'émeraude végétale, et le Flamboyant, l'arbre préféré de Poisson-lune, qui explose dans le ciel en gouttes de sang ou d'or étoilé.

Ce matin, le ciel est plus clair et pour la première fois depuis la disparition d'Oumé, Poisson-lune regarde les nuages s'effilocher au gré des alizés. Il a une écharde dans le cœur, elle a pour nom Oumé mais aujourd'hui, il peut de nouveau respirer l'air frais du matin avec plaisir.

Il chante doucement :

Le vent berce les nuages
l'océan berce les bateaux
la mère berce l'enfant
et toi, qui berces-tu ?
je berce ma peine,
je berce ma peine.

Il marche, il sait où il veut aller, il veut aller vers l'océan. Il construira une pirogue et il partira à la recherche du Grand Fleuve. Oumé lui en avait parlé, ils devaient y aller un jour. Le Grand Fleuve, là-bas, le Grand Fleuve qui glisse comme un immense serpent argenté sur la terre des Anciens. Une terre immense sans eaux salées, une forêt aux oiseaux multicolores, une forêt sans fin.

Il fait chaud mais sans plus, les sucriers et les colibris lui ouvrent le chemin. Poisson-lune marche, du soleil à la lune le temps se balance. Une fin

jou a lafen an laprémidi, i rivé anlè an plaj,
sab-la léjè épi sonm, sab-la gri, i koulè cha-
gren. An mitan twa ròch i ka fè difé. I ka
dékoupé an mòso mannikou a i té tjwé a, chak
jès i fè sé jès tou lé jou ki pa ka fè'w sonjé gran
chagren ou pé ni. I ka fè mannikou-a roti alò i
ka sonjé épi plézi lè Oumé té ka fè manjé-tala.

Lannuit ka rivé, i la asiz ka gadé sé flanm difé
a fè zétinsèl, flanm difé ki tou long ka chanjé,
ka monté, ka désann dan lannuit nwè a ; tan
an zéklè, i wè fidji Oumé. Alò i ka lévé tèt li
épi i ka chaché wè si ni an zétwal nèf an mitan
tout zétwal syèl la. Si ou wè i trouvé yonn, i ké
kriyé'y Oumé.

d'après-midi, il arrive sur une plage, sable léger et sombre, sable gris, couleur mélancolie. Il prépare un feu entre trois pierres. Il dépèce le manicou qu'il a tué, gestes précis du quotidien qui n'éveillent pas les grandes peines. Il fait griller le manicou et le souvenir heureux d'Oumé préparant ce plat glisse doucement sur son âme.

Le soir tombe, il regarde crépiter les flammes changeantes, éphémères et flamboyantes dans le noir de la nuit ; l'espace d'un souffle le visage d'Oumé lui apparaît. Il lève la tête et cherche une nouvelle étoile parmi la constellation. S'il en trouve une, il l'appelera Oumé.

Jou oswè-tala lalin-la wouj.

Pwason-lalin kouché obò difé a, tjè'y trankil, i pran sonmèy.

An tou piti ti bwi lévé'y, alò anba klèté lalin rouj la, i ka dékouvè sèt nom-zwézo ki la ka minasé'y.

Frison pran Pwason-lalin : sé taa sé lèspri lannuit, malfétè, ou ni pou pè yo é ou pè yo. Gran zong, bèk, zèl, sé dé rapas, manjè lalin, manjè lannuit, yo ka alé vini dan syèl, yo ka rantré dan rèv ou ; sé yo ki tjwé Lifou.

Pwason-lalin, boyo'y maré, ka lévé an sèl kou. Chuveu'y menm koulè épi lajan ka kléré anba

La lune est rousse ce soir.

Poisson-lune s'endort l'âme apaisée près du feu.

Un léger crissement le réveille et sous la clarté de la lune rousse, il découvre sept hommes-oiseaux menaçants.

Poisson-lune frémit, ce sont les Esprits de la nuit, hommes maléfiques, redoutables et redoutés. Serres, bec, ailes, rapaces mangeurs de lune, mangeurs de nuit, il parcourent le ciel et hantent les rêves ; ce sont eux qui ont tué Le Fou.

Poisson-lune, la peur au ventre, se lève d'un bond. Sa chevelure argentée brille sous la lune.

lalin-la. Sé nom-zwézo-a èstébégwé, yo rété dou-
bout ; Pwason-lalin pa tjansé, adan an sèl so, i
pété laronn lanmò-a ki té ka vlopé'y la. Sé nonm
zwézo-a, lè yo wè biten yo ka chapé, yo mété
kòyo ka rélé :

- Bèt loséan si ou konprann ou ké chapé ou
pé toujou kouri !

Alò an sèl kous kouri koumansé, sé lanmò ki
an bout li. Lèstonmak Pwason-lalin ka pri difé.
Sé zèl-la ka foutè'y kalòt, sé bèk-la ka bat, sé
gran zong-la ka chiré lapo'y ki dous kon swa.

Jou oswè-tala lalin-la wouj.

Pwason-lalin ka rafalé koy, ladoulè fò pasé'y.
Sab-la ka valé san'y. Adan an dènyé sikso pou
lavi'y, Pwason-lalin ka viré lévé épi i ka létjété
an mitan loséan.

Sé nonm-zwézo pa pé suiv li dan dlo-a, alò yo
pran lavol, zèl yo ka baléyé lannuit-la, yo ka
toufé tout zétwal épi tout rèv. Lè sé prémyé
vag lanmè a rapé'y, Pwason-lalin mété koy ka
rélé, i ka rélé. Sé grenn sèl la sé konsidéré ètsé-
téra solèy té ka pété an mitan sé blési'y la.
Lasoufrans kon bèt féros fèmen dan kò'y, i ka
chiré'y tou patou pou i sa sòti.

Tan-a sé létènité, lasoufrans rouj kon san. I pa
pli sav sa i yé, kouran-a ka mennen'y alé a lori-
zon. Pwason-lalin koulé, loséan ba'y an gran
kabann, sé vag lanmè ba'y an kouvèti fèt épi
tjum.

Étonnés les hommes-oiseaux marquent un temps d'arrêt. Poisson-lune n'hésite pas : il brise d'un saut le cercle mortel. Voyant leur proie s'échapper, les hommes-oiseaux hurlent :

- Tu ne nous échapperas pas, créature de l'océan !

Une poursuite mortelle s'engage. Poisson-lune a les poumons en feu. Les ailes giflent, les becs claquent, les serres déchirent la peau douce de son corps.

La lune est rousse ce soir.

Poisson-lune s'écroule, terrassé par la douleur. Le sable boit en longues gorgées son sang. Dans un dernier sursaut de survie, il se relève et plonge dans l'océan.

Les hommes-oiseaux ne peuvent le suivre, ils s'envolent, leurs ailes balayent la nuit, étouffant les étoiles et les rêves. Quand Poisson-lune est happé par les premières vagues, il hurle, il hurle. Les grains de sel sont mille soleils qui explosent dans ses plaies ouvertes. La douleur est un fauve prisonnier dans son corps, elle le déchire de partout pour essayer de sortir.

Le temps est éternité, rouge est la douleur. Il ne sait plus qui il est, le courant l'emporte vers l'horizon. Poisson-lune a sombré, l'océan lui a fait un lit profond et les vagues une couverture d'écume.

An mitan sé dwèt blé tan a, konmen lè, kon-
men lajounen, ròch solèy chapé.

Pwason-lalin navidjé an bòdaj lanmò. Lè i
déviré adan vwayaj li a, panché anlè'y, fidji an
fanm ka gadé'y rotanba. An fidji bèl pasé bèl
fèt, koulè'y sé koulè lalin blé, tout alantoun li
chivé'y sé wawèt vèt. Fidji-a ni an bouch fèt épi
koray, épi dous, dous, dé zyé myèl ka gadé'y.
Pwasaon-Lalin fasinen, i ka bégéyé :

  - La mwen yé a ? Sa ki'w ?

  - Mwen, mwen sé Manman Dlo. Sé lan-
mantin-a ranmasé'w épi yo mennen'w bò kay
mwen. Ja ni twa lalin ou pran chumen lanmò,
mé jòdi jou ou déviré an mitan sé vivan-a. Ou
pa buzwen entjèt, isi a ou pa pou pè ayen.
Pozé kow, mwen kay déviré o swè-a.

Manman Dlo ka pati léjè, léjè, latjé kouvé épi
zékay an lò ka fann dlo. Pwason-lalin ka gadé
tou patou alantounn li. I kouché dan an ran-
mak fèt épi wawèt dous pasé swa. An limyè
ka plen tout chanm-la épi an ti klèté vèt. Dlo-

Les heures et les jours ont glissé, pierres de soleil, entre les doigts bleutés du temps.

Poisson-lune a navigué aux frontières de la mort. Quand il revient de son voyage, penché au-dessus de lui, un visage de femme le regarde. Un visage terriblement beau, couleur de lune bleue, couronné d'une chevelure d'algues vertes. Dans ce visage aux lèvres de corail, deux grands yeux couleur de miel le regardent avec tendresse.

- Où-suis-je ? Qui êtes-vous ? balbutie Poisson-lune fasciné.

- Je suis l'Esprit de l'eau. Les lamantins t'ont recueilli et t'ont amené chez moi. Cela fait trois lunes que tu voyages vers la mort, mais tu es revenu parmi les vivants. Ne t'inquiète de rien, tu es en sécurité ici. Repose-toi, je reviendrai ce soir.

L'Esprit de l'eau s'éloigne gracieusement en fendant l'eau de sa queue aux écailles d'or. Poisson-lune regarde ce qui l'entoure. Il est couché dans un hamac d'algues douces. Une lumière d'un vert translucide baigne la pièce. L'eau clapote douce-

a ka bat tou dousman, yo sé di sé an rèv, alò Pwason-lalin pa étonnen i ka rèspiré anba dlo. I pa pli ka soufè, ayen pa enpòtan, tout bagay andéro laréyalité, tout bagay léjè, sé an sèl rèv biza é si tan bèl. I ka glisé adan an ti sonmèy, i ka souri. Lè i lévé an sonmèy, Manman Dlo ja déviré.

I ka di'y épi an ti vwa tou dous :

- Pwason-lalin lévé nou kay pronmnen.

Pwason-lalin ka tjansé, i ka asiz an bòdaj ran-mak la épi i gadé koy. An sèl balaf ka koupé bouden maron'y la. I ka lévé, i ka pasé lan-men'y anlè fidji'y épi i ka santi tras an lòt balaf

ment, cela ressemble tant à un rêve que Poisson-
lune ne s'étonne pas de pouvoir respirer dans
l'océan. Il n'a plus mal, rien n'a d'importance,
tout est irréel, léger, un rêve étrange et merveilleux.
Il glisse dans le sommeil avec un sourire. Quand
il se réveille L'Esprit de l'eau est de nouveau là.

Elle lui dit d'une voix douce :

- Lève-toi Poisson-lune, nous allons nous pro-
mener.

Poisson-lune hésite, il s'assied sur le bord du
hamac et se regarde. Une longue cicatrice strie
son ventre brun. Il se lève, il passe sa main sur
son visage et sent la marque d'une cicatrice sur

anlè ponm fidji'y. Déja i pa té ka sanm pèsonn, alò ti bren plis, ti bren mwens ! Manman Dlo ka santi i ka pèd lakat, i braré'y épi dé lanmen yo jwenn, yonn dan lòt, lanmen latè épi lanmen dlo. Anba loséan, sé an sèl tan kalm ki pa jenmen ka chanjé ki fè ladégoutans lavi a ki té anparé Pwason-lalin koumansé réfasé.

Tout lè, tout jou glisé alé, léjè kon tjim anba souf tan a.

Sé pa an sèl ti fwa i palé anlè Oumé, i ka di soufè i ka soufè du fèt i pa ka viv épi Oumé. Labsans Oumé sé an flèch pri an mitan rouj tjè'y. I ka rakonté Manman Dlo ki mannyè i pa sav sa i yé, ni sa i lé, i ka santi koy kon an pirog an driv.

Yo ka asiz, Pwason-lalin ka mété tèt li anlè zépol Manman Dlo, alò Manman Dlo tou dous ka karésé chuveu'y koulè lajan.

Epi an vwa lanmè, Manman Dlo ka di'y ki mannyè van ka fè lantoun latè, i ka di'y ki mannyè solèy kontan latè, i ka di'y ki mannyè zétwal ka dansé épi sé niyaj-la, i ka di'y féros loséan ka bèsé sé kannot-la akwèdi sé timanmay.

I ka di'y Oumé sé li menm, sé an pa kò'y menm, ou pa jenmen ka mò èsépté si yo bliyé'w.

Pwason-lalin ka pati an driv anlè larivyè sé pawòl tala. Dé lè i ka sonjé Oumé san i soufè.

An jou o swè i mandé Manman Dlo :

sa joue. Il n'était déjà pas comme les autres, alors un peu plus ou un peu moins ! L'Esprit de l'eau sent son désarroi, tendrement, elle glisse son bras sous le sien et leurs mains s'enlacent, mains de terre et mains d'eau. Sous l'océan, une atmosphère immuable et sereine apaise le mal de vivre de Poisson-lune.

Les heures et les jours s'évanouissent, écume légère, au souffle du temps.

Souvent Poisson-lune parle d'Oumé, il parle du mal qu'il a de vivre sans Oumé, son absence est une sagaie plantée au rouge de son cœur. Il confie à L'Esprit de l'eau qu'il ne sait qui il est ni ce qu'il veut, il se sent comme une pirogue abandonnée au fil de l'eau.

Ils s'asseyent, Poisson-lune pose sa tête sur l'épaule de l'Esprit de l'eau qui caresse tendrement sa chevelure argentée.

D'une voix liquide l'Esprit de l'eau lui dit le vent qui fait le tour du monde, elle lui dit le soleil amoureux de la terre, elle lui dit les étoiles qui dansent avec les nuages, elle lui dit l'océan terrible qui berce les pirogues comme des enfants.

Elle lui dit qu'Oumé fait partie de lui, qu'il est un morceau de lui et qu'on ne meurt vraiment que quand on vous oublie.

Poisson-lune se laisse dériver au fil de ces paroles. Il lui arrive de penser à Oumé sans avoir mal.

Un soir, il lui demande :

- Manman Dlo, ès ou konnèt sé nonm-zwézo-a ?

Manman Dlo soté épi i mandé'y :

- La ou ja tann palé di yo ?

Pwason-lalin ka mimiré :

- Sé yo ki tjwé Lifou épi ki ataké mwen.

Manman Dlo ka rété an tan san palé épi i di'y :

- Simyé ou pa palé di yo, sé dé malfétè ki rayi tout nonm.

An mitan sé dwèt blé tan a, konmen lè, konmen lajounen, ròch solèy chapé.

Manman Dlo pa ka di Pwason-lalin ki mannyè i kontan'y. Sé gason-a i pa té jenmen ni'y a é gason-a i pé ké jenmen ni'y a. I ja sav i ké soufè pa wapòt a li, menm mannyè ou ka soufè lè ou olwen péyi'w. I ja sav ki mannyè tjè'y ké raché lè i ké sonjé'y, an sèl ladousè ou pa sa bliyé, an bon ti chiraj. I ja sav Pwason-lalin ké pati. Timanmay sé niyaj, tou dous yo ka pati, yo pa pé rété pann an syèl lanmou nou a ; yo pou pati viv rèv yo.

Jou oswè-tala lalin-la wouj.

Pwason-lalin épi Manman Dlo asiz ka gadé difé zétwal ka lumen dan dlo-a. Pwason-lalin ka mimiré :

- Mwen ka pati o swè-a. Mwen pa pé rété olwen lil mwen a, mwen lé viré wè'y.

- Esprit de l'eau connais-tu les hommes-oiseaux ?

L'Esprit de l'eau sursaute :

- Où as-tu entendu parler d'eux ?

Poisson-lune murmure :

- Ce sont eux qui ont tué le Fou et qui m'ont attaqué.

L'Esprit de l'eau reste un moment silencieuse puis dit :

- Il vaut mieux ne pas les évoquer, ce sont des mauvais esprits qui haïssent les humains.

Les jours et les mois s'évanouissent, écume légère, au souffle du temps.

L'Esprit de l'eau ne dit pas à Poisson-lune l'amour qu'elle a pour lui. Il est le fils qu'elle n'a jamais eu et qu'elle n'aura jamais. Elle sait déjà qu'elle aura le mal de lui, comme on a le mal du pays, elle sait déjà qu'il lui reviendra en plein cœur au détour d'un souvenir, inoubliable tendresse, tendre déchirure. Elle le sait déjà, Poisson-lune s'en ira. Les enfants sont des nuages, ils s'éloignent doucement et ne peuvent rester accrochés au ciel de notre amour ; ils doivent partir vivre leurs rêves.

La lune est rousse ce soir.

Poisson-lune et l'Esprit de l'eau sont assis et regardent le feu des étoiles dans l'eau. Poisson-lune murmure :

- Je m'en vais ce soir. Mon île me manque, je veux la revoir.

Manman Dlo pa ka di ayen, i pa menm pé pléré. Tjè'y ka chiré san fè bwi.

Pwason-lalin ka lévé, i ka panché koy anlè Manman Dlo épi dousman i ka karésé ponm fidji'y épi i ka pati.

Manman Dlo ka kriyé'y :

- Pwason-lalin si ou wè ou viré jwenn sé nonm-zwézo-a, fòk ou sav sé solèy sèl ki lènmi yo. Pa bliyé sa !

Pwason-lalin ka di'y mèsi épi i ka pran'y dan bra'y. Tou dous, tou dous, Manman Dlo ka fè'y ladjè'y épi i ka alé dan joupa'y la, i pa lé wè'y pati. I ka santi koy vyé, si tan vyé !

Pwason-lalin two jenn, i pa pé sonjé ki mannyè Manman Dlo enmen'y. Pwason-lalin ka najé alé a tè. I ka sòti dan dlo-a, ka soukwé koy épi i ka gadé loséan. Sé lanm lanmè a ka alé pli vit épi an lanmizik tris é chagrennen ka monté dan syèl-la.

Sé Manman Dlo ka jwé flit pou konsolé koy.

48

L'Esprit de l'eau ne dit rien, elle ne peut même pas pleurer. Son cœur se déchire sans bruit.

Poisson-lune se lève, se penche, effleure la joue de l'Esprit de l'eau et s'en va.

L'Esprit de l'eau l'appelle :

- Poisson-lune, si tu rencontres de nouveau les hommes-oiseaux, sache que le soleil est leur ennemi. Souviens-t-en !

Poisson-lune la remercie et la serre dans ses bras. L'Esprit de l'eau se dégage doucement et rentre dans sa hutte, elle ne veut pas le voir partir. Elle se sent vieille, vieille !

Poisson-lune est trop jeune, il ne se doute pas combien l'Esprit de l'eau l'aime. Poisson-lune nage vers la terre. Il sort de l'eau, s'ébroue et fait face à l'océan. Les vagues sont plus rapides et une musique triste et mélancolique s'élève vers le ciel.

C'est l'Esprit de l'eau qui joue de la flûte pour bercer sa peine.

Jou oswè-tala lalin-la wouj.

Pwason-lalin ka rukonnèt plaj-la, sé plaj-la la i né a. I ka viré trouvé tras-la ki ka alé dan vilaj-la, i ka tann an lanmizik ka alé, sé moun-la ka fété plizyè nòs. Pwason-lalin ka vansé, chuveu'y menm koulè épi lajan ka kléré adan lumyè du fé a. Tout moun doubout dwèt.

Tan-a chanjé an létènité.

An fanm mété koy ka kriyé an mwé :

- Mi i déviré, sé Pwason-lalin, yich Mayna épi nonm-pwason lajan a !

Ansanm kri-taa fèt, tan-a volé an ti mòso, bouch sé moun la mété koyo ka gwonyen, sé

La lune est rousse ce soir.

Poisson-lune reconnaît la plage, c'est la plage où il est né. Il retrouve le sentier qui mène au village, il entend de la musique, la tribu fête des mariages. Poisson-lune s'approche, sa chevelure argentée brille à la clarté du feu. Tous s'immobilisent.

Le temps est éternité.

Une femme hurle :

- Il est revenu, c'est Poisson-lune, l'enfant de Maïna et de l'homme-poisson argenté !

A ce cri, le temps se brise en mille éclats, la foule gronde, bête féroce, ivre de peur. Les

an bèt sovaj lafréyè anparé. Kont wòch épi sagé ka volé alantounn Pwason-lalin.

Pwason-lalin viré du bò, épi i mété kouri atè, i ka kouri a pèd souf. Yo menm ka kouri dèyè'y, ka rapé lapè-a ki ka maré boyo yo. An pé du tan, yo rété. Pwason-lalin ka asiz anlè talon'y pou i pé rupran lesouf. I ka pléré, lanm li ni gou loséan. Loséan sé pétèt la ki plas li, mé i tan enmen lil-tala !

Pwason-lalin ka suiyé zyé'y, i ka lévé épi i ka disparèt dan granbwa. I ka maché, maché san rété, chanté laforè a ka trantjilizé tjè'y. I ka rivé an bòdaj an larivyè. I ka bwè an dlo fré ki ka kléré anba lumyè rouj lalin la. I ka maché an bòdaj larivyè a, i ka maché, maché san rété jisatan i rivé o bò an so ka pléré dan lannuit. Pwason-lalin éstébégwè, i ka rété doubout san brennen, so-a wo pasé wo fèt. Dlo so a ka tonbé an mitan dé gran falèz ki ka fè an ron, an bèl gran ron, lalin rouj la an mitan ron a ka gadé'y. Pwason-lalin ka frisonnen dan fwèdi lannuit la, koté-taa an gou'y, i ka fè du fé, sé konsidéré Oumé té la an ti ayen menm épi'y. I ka ranmasé an ponyen latè tou pandan i ka révé a, i ka koumansé fasonnen'y. Sé jès-la Lifou té montré'y la ka viré vini an bout dwèt li épi yo ka chanjé boul tè an tòti, kokodil, gou-nouy, solsouri ; sé jès-la lant, dous alò yo ka trantjilizé nanm li. Jou apré jou i ka konsui ajoupa' y, i ka dékouvè an plaj dézè. I ka péché

pierres et les sagaies sifflent.

Poisson-lune fait volte-face, il court, il court à perdre haleine. Ils aboient leur peur derrière lui. Bientôt, ils abandonnent la poursuite. Poisson-lune s'assied sur ses talons et reprend lentement son souffle. Il pleure et ses larmes ont le goût de l'océan. L'océan, peut-être est-ce là sa place, mais il aime tant cette île !

Poisson-lune essuie ses larmes, se lève et s'enfonce dans la forêt. Il marche, il marche, le chant de la forêt apaise son cœur. Il arrive près d'une rivière. Il boit l'eau fraîche qui scintille sous la clarté rousse de la lune. Il suit la rivière, il marche, il marche, elle le conduit jusqu'à une cascade qui ruisselle dans la nuit. Poisson-lune, émerveillé s'immobilise, la cascade est très haute, se jetant entre deux immenses parois rocheuses qui forment un cercle parfait et la lune rousse est au milieu et le regarde. Poisson-lune frissonne dans la nuit fraîche, cet endroit lui plaît, il allume un feu, c'est un peu comme si Oumé était de nouveau là. Il ramasse une poignée de terre et, tout en rêvant, il commencce à la modeler. Les gestes que lui a enseignés Le Fou reviennent et sous ses doigts naissent des formes : tortue, caïman, grenouille, chauve-souris ; gestes lents et doux qui apaisent son âme. Au fil des jours, il construit une hutte, découvre une plage déserte. Il pêche des lambis et, dans les coquillages doux et rosés, il sculpte des pen-

lanbi épi adan zékal roz épi dous lanbi a i ka èskilté zanno ki ka sanm tout kalité bèt : gounouy, lanmanten, tèt frégat, mòso rèv ki sòti anba dwèt li ; alò i ka santi i an plas li anlè latè.

An jou o swè tou pandan i ka gadé tou sa i fè a, i ka sonjé :

- Pétèt si mwen ofè yo tout sé mòso rèv la ki sòti anba lanmen mwen a, yo ké fini pa asèpté mwen épi yo ké blyé mwen pa kon yo.

I ka mété yonn dé dobann dan ranmak-la Manman Dlo té ba'y la. Lè i rivé tou pré an bouk la, an sagé ka planté koy an mitan dé pyé'y.

Pwason-lalin ka rouvè ranmak li a épi ka mété anba an gran pyéflanboyan dé dobann épi an zanno ka sanm an gounouy, épi i ka pati.

Sa ki alé gadé an prémyé sé sé timanmay-la ; adan an ti moman yo ja ka goumen pou sav kilès ki ké trapé ti gounouy-la. Sé manman yich la lé fè yo ladjé bagay voyé tala. Yall érisi trapé gounouy-la épi i pran kouri jwenn gran frè'y, Taya, ki bòdlanmè.

dentifs en formes d'animaux : grenouille, laman-
tins, tête de frégate ; ces fragments de rêves qui
jaillissent sous ses doigts lui donnent le senti-
ment d'être à sa place dans le monde.

Un soir, en regardant tout ce qu'il a fabriqué, il
se dit :

- Peut-être qu'en offrant ces objets, ils m'ac-
cepteront et que je leur ferai oublier ma diffé-
rence.

Il met quelques poteries dans le hamac que lui
a offert l'Esprit de l'eau. Lorsqu'il arrive près du
village, une sagaie se fiche entre ses pieds.

Poisson-lune ouvre son hamac, dépose au pied
d'un grand flamboyant, deux poteries et un
pendentif en forme de grenouille, puis il s'en va.

Les premiers à aller voir sont les enfants ; bien-
tôt, ils se disputent pour avoir la petite gre-
nouille. Les mères veulent leur faire lâcher cet
objet porteur de maléfices. Yall a réussi à s'em-
parer de la grenouille et elle court rejoindre son
grand frère Taya sur la plage.

Taya anlè fon blan ka péché chadron.

Yall ka kriyé'y :

- Taya ! Taya ! gadé sa mwen trapé a.

Taya ka tiré an lanmè a panyen-la plen chadron. I ka pran ti zanno-a ki sanm an gounouy-la. Zanno léjè fèt adan an mòso zékal lanbi ki èskilté an mannyè léjè.

I ka mandé Yall :

- Sa ki ba'w sa ?

- Sé gason chuveu'y ka sanm tjum la, i pòté plizyè bagay an bouk mé sé gran moun-la pa kité'y alé pli lwen.

Sa ki ti gason-a chuveu'y ka sanm tjum la, sé pa an sèl fwa Taya tann palé'y a konsidéré sé an malfétè, mé i pa jenmen wè'y. I ka gadé zanno-a an ponm lanmen'y; ki mannyè an moun ki ka fè sitan bèl bagay sé pé an jan voyé.

Taya désidé fòk i jwenn épi ti gason chuvé tjum la. I ka rann Yall zanno-a épi tou lé dé ka déviré an bouk.

Sé moun-la pa lé gason chivé tjum la vini adan bouk mé yo ka asèpté sa i ka fè a : dobann, grigri. Yo ka bokanté épi kasav, patat tou tjuit épi sulon lasézon, yo ka ba'y tout kalité fwi : gouyav, zannanna, prin monben.

Jou ka pasé, yo ka pran lavòl kon zibyé, Taya pa ka rivé bòdé gason chivé tjum la ki ka pati vitman ansanm i dépozé sa i pòté a, épi i pran

Taya est sur les fonds blancs ou il pêche des oursins. Yall l'appelle :

- Taya ! Taya ! regarde ce que j'ai.

Taya sort de l'eau son panier en vannerie rempli d'oursins. Il prend le petit pendentif en forme de grenouille. Il est léger et délicatement sculpté dans la nacre du lambi*.

- Qui te l'a donné ? demande-t-il à Yall.

- C'est le garçon à la chevelure d'écume, il a apporté des objets au village, mais les grandes personnes n'ont pas voulu qu'il aille plus loin.

Taya se demande qui est ce garçon à la chevelure d'écume dont il a souvent entendu parler comme d'un être maléfique, mais qu'il n'a jamais vu. Il regarde le pendentif au creux de sa main ; comment quelqu'un qui fait de si belles choses pourrait-il être maléfique ?

Taya décide de rencontrer le garçon à chevelure d'écume. Il rend le pendentif à Yall et tous deux rentrent au village.

La tribu ne veut pas que le garçon à la chevelure d'écume entre dans le village, mais ils acceptent les objets qu'il fabrique : poteries et amulettes. En échange, ils lui donnent des cassaves*, des patates douces cuites et des fruits frais selon la saison : goyaves, ananas, prunes de monbin.

Les jours passent à tire d'aile comme les oiseaux, Taya n'arrive pas à s'approcher du garçon à la

manjé-a yo mété anba gran pyéflanbwayan-a ki anlè chumen bouk la.

Taya byen tanté suiv li, dé lè i té ka apèsivwè gran londjè'y la épi chivé lajan'y la i té ka kléré an solèy. Mé, i té toujou ka pèdi tras li. Yall ka suiv Taya toupatou, i tanté tou sa i té pé pou kité'y an bouk mé Yall sé an réyon lalin, an ti van nowdé, i ka fofilé toupatou é i toujou ka trouvé'y o bò'y. I abo faché, lè Yall ka souri kòlè'y la ka disparèt. Epi yo té ka déviré an bouk san yo jenmen trouvé gason-a ki ni chivé tjum la.

Sèt fwa solèy rouj la désann an lanmè, sèt fwa lalin blan a monté an syèl, pa ni machandiz ankò anba gran pyéflanboyan, tout kalité bèt manjé manjé-a.

Taya épi Yall entjèt, Taya di granpapa'y Maol :

- Papadoudou, sèt fwa solèy rouj la désann an lanmè épi sèt fwa lalin blan a monté an syèl, gason chivé tjum la pòkò déviré. Pétèt i blésé ou ben i malad, kité mwen alé chaché'y.

Asiz douvan difé-a, Maol ka sanm sa ki ka révé, i ka rouvè zyé'y épi i ka gadé ti yich li a.

chevelure d'écume qui s'éloigne rapidement dès qu'il a déposé les objets et pris la nourriture déposée en échange au pied du grand flamboyant, sur le chemin qui mène au village.

Taya a essayé de le suivre, de loin en loin il apercevait sa longue silhouette et ses cheveux d'argent qui brillaient sous le soleil. Mais, toujours, il perdait sa trace. Yall suit Taya partout, il a tout essayé pour la laisser au village mais Yall est comme un rayon de lune, un souffle d'alizé, elle se glisse partout et il la retrouve toujours à ses côtés. Il se fâche, mais Yall a un si joli sourire que sa colère tombe. Et ils rentraient tous deux au village sans avoir trouvé le garçon à chevelure d'écume.

Sept fois le soleil rouge a plongé dans la mer et la lune blanche est montée dans le ciel, il n'y a plus d'objet au pied du grand flamboyant et la nourriture a été mangée par les animaux.

Taya et Yall sont inquiets, Taya dit à son grand-père Maol :

- Grand-père, sept fois le soleil rouge a plongé dans la mer, et sept fois la lune blanche est montée dans le ciel, le garçon à la chevelure d'écume n'est pas encore revenu. Il est peut-être blessé ou malade, laisse-moi aller à sa recherche.

Devant le feu, Maol semble rêver, il ouvre les yeux et regarde son petit-fils. Comme il res-

Fout i ka sanm gason'y la, Gran Dlo blé a valé a ! Plézi épi lapenn ka mélanjé dan tjè'y, alò i ka di'y :

- Pétèt i malad ou ben blésé dan laforé, tou yonn i pé ké sa djéri. Démen bonmaten, an pipiri chantan, pati chèché'y.

Yall ka asiz dan ranmak li a épi i ka di :

- Mwen osi mwen ka alé.

Maol ka souri, sé pa lapenn di'y pa alé, i ké alé kanmenm ; gason chivé tjum la véglé'y. Maol ka di'y :

- Woutou ou ké alé, mé fòk ou obéyi frè'w la. Yonn a lòt rété koté lòt.

Yall ka pwonmèt, i ka soté anba ranmak li épi i ka vini asiz anlè jounou granpapa'y. Maol ka fè'y konfyans, i piti toujou, i ni dizan, mé si ou wè i pwonmèt, i pwonmèt. I annafè, i sa sèvi lanmen'y é pa djè ni ayen i pè. I ka sanm manman'y ki mò ansanm i té ka nèt, i ké sa ba Taya an pal.

Taya, limenm, i ni trèzan, i enmen ri épi révé, i vayan, sé ja an bon chasè. Dan laforé i ké sa garanti Yall.

Landimen bonmaten, an pipiri chantan Taya épi Yall paré pou pati ; an ti van fré ka fè yo frisonnen dan blé douvan jou a.

Granpapa yo ka di yo :

- Sé lèspri-a voyé an rèv ba mwen : gason

semble à son fils que la Grande Eau Bleue a avalé ! La joie et la peine se mêlent dans son cœur et il dit :

- Il est peut-être malade ou blessé dans la forêt, seul il ne pourra pas guérir. Demain, quand le pipiri chantera le jour, pars à sa recherche.

- Moi aussi, j'y vais dit Yall en s'asseyant dans son hamac.

Maol sourit, ce n'est pas la peine de lui interdire d'y aller, elle ira ; elle est fascinée par le garçon à la chevelure d'écume. Maol lui dit :

- Toi aussi, tu y vas, mais tu obéis à ton frère et ne vous quittez pas.

Yall promet, saute du hamac et vient s'asseoir sur les genoux de son grand-père. Maol a confiance en elle, elle est encore petite, elle a dix ans mais elle respecte toujours ses promesses. Elle est curieuse, habile de ses mains et ne craint pas grand-chose. Elle ressemble à sa mère qui est morte en lui donnant la vie, elle saura aider Taya.

Taya, lui, a treize ans, rieur, rêveur, courageux, déjà bon chasseur, il saura protéger Yall dans la forêt.

Au pipiri chantant, le lendemain Taya et Yall sont prêts à partir ; un petit vent frais les fait frissonner dans le bleu du matin.

Leur grand-père leur dit :

- Les esprits m'ont envoyé un rêve : le gar-

chivé tjum la pa tou pré mò mé i fèb, i fen, mwen pa sav la zòt ké pé jwen li mé kouté épi gadé laforé, sé li ki ké mennen zòt obò'y.

Maol asiz douvan difé-a, i ka gadé yo rantré dan foré-a. Yo pati épi kasav dan an panyen, an tout mannyè yo ké trouvé fwi épi dlo an chimen.

Yo ka maché dousman, ka véyé toupatou, zyé yo ka gadé a gòch, a dwèt, douvan kon dèyè, yo ka kouté laforé, sé laforé ki ké mennen yo obò gason chivé tjum la. Pyé foujè, akajou, fwomajé, akoma-boukan, flè bali-zyé rouj, zwézo paradi, pyé fwanjipann ka gadé yo pasé.

Kò yo kouvè épi roukou pou moustik pa pitjé yo, ka kléré dousman dan nwè vèt épi lò laforé-a épi ri yo ka ri ka mélanjé épi chanté sé zibyé a.

Yo ka rivé obò an larivyè, solèy ja wò dan syèl, yo pokò touvé ayen mé yo fen. Yo ka asiz anlè an gwo ròch plat épi yo mété kòyo ka manjé kasav épi gouyav épi an bèl lapéti.

çon à la chevelure d'écume n'est pas en danger de mort mais il est faible, il a faim, je ne sais pas où vous le trouverez mais écoutez et regardez la forêt, elle vous guidera jusqu'à lui.

Maol assis devant le feux, regarde les enfants s'enfoncer dans la forêt. Ils emportent des cassaves dans un panier en vannerie, ils trouveront des fruits et de l'eau en chemin.

Ils marchent lentement, attentifs, l'œil aux aguets, à l'écoute de la forêt qui les conduira au garçon à la chevelure d'écume. Fougères arborescentes, acajou, fromager, acomat-boucan, balisiers rouges, oiseaux de paradis, frangipaniers les regardent passer.

Leurs corps, enduits de roucou pour se protéger de la piqûre des moustiques, luisent doucement dans la pénombre vert et or de la forêt, et leurs rires légers se mêlent aux chants des oiseaux.

Ils arrivent près d'une rivière, le soleil est haut dans le ciel, ils n'ont encore rien trouvé et ils ont faim. Ils s'asseyent sur une grande roche plate et ils mangent avec appétit des cassaves et des

An kolibri ka voltijé alantou yo.

Sé Yall ki wè'y an prémyé, i mété kòy ka kriyé :

- Taya, gadé kolibri-a, sé an sin, annou suiv li, pétèt i ké mennen nou obò gason chivé tjum la.

Yall épi Taya ka lévé kòyo, kolibri ka bay monté larivyè-a, sé timanmay-la ka suiv li. Lè yo ka moli, kolibri-a ka sanm sa ki ka atann yo. Larivyè-a ka ranfonsé koy dan dé falèz ki ka vini pli an pli wò. Ansèl kou, yo ka rivé obò an so ki ka tonbé adan an basen, dlo basen a vèt, i koulè jenn banbou. Sé falèz-la ka monté wò pasé wò fèt, yo ka maré syèl-la dan an ron ki ron pasé ron fèt. San i palé, Yall ka pran lanmen Taya, i ti bren pè, yo sé di yo rivé an bout latè épi sa sitan bèl.

Kolibri-a ka karésé chivé Yall épi i ka pran lavòl. Sé timanmay-la ka suiv li. Yonn dé mèt pa lwen larivyè-a, yo ka wè an ti kay tou won épi an twa pwenti .

Taya et Yall ka rantré dan kay-la, yo ka wè gason chivé tjum la kouché dan an ranmak, dé zyé'y fèmen, lèspirasyon'y fèb. Taya ka vansé, gason-a ti bren pli gran pasé'y. Yall ka gadé tout alantou'y, an mitan kay-la difé-a mò, i ka wè kalbas épi dobann tout grandè, yo bèl kon bèl fèt. I ka pran an kalbas épi i ka kouri obò larivyè. I ka déviré, i ka benyen fidji gason a tou dousman, i ka mouyé bouch li ki tou fann.

goyaves. Un colibri volète autour d'eux.

Yall l'aperçoit la première et s'écrie :

- Taya, regarde ! Le colibri, c'est un signe. Suivons-le, il nous conduira peut-être jusqu' au garçon à la chevelure d'écume.

Yall et Taya se lèvent, le colibri remonte la rivière, les enfants le suivent. Quand ils ralentissent, le colibri semble les attendre. La rivière s'enfonce entre des parois rocheuses qui sont de plus en plus hautes. Tout à coup ils arrivent à une cascade qui se jette dans un petit bassin, l'eau a la couleur vert tendre des bambous. Les parois rocheuses montent très haut, elles retiennent le ciel bleu prisonnier dans un cercle parfait. Sans parler Yall prend la main de Taya, elle a un peu peur, cela ressemble au bout du monde et c'est si beau.

Le colibri effleure les cheveux de Yall, puis s'envole. Les enfants le suivent. A quelques mètres de la rivière, ils trouvent une petite hutte circulaire au toit conique.

Taya et Yall pénètrent dans la hutte ; couché dans un hamac, le garçon à la chevelure d'écume a les yeux clos et respire très lentement. Taya s'approche, le garçon est un peu plus âgé que lui. Yall regarde autour d'elle, au centre de la maison le feu s'est éteint, elle voit des calebasses et des poteries de toutes tailles d'une très grande beauté. Elle prend une calebasse et court à la rivière. Elle revient, elle mouille doucement le

Karès sé dwèt-la épi lafréchè dlo a viré men-
nen gason dan lavi, i ka rouvè zyé'y.

Yall épi Taya ka bat aryè, gason chivé tjum la
ni zyé koulè lanmè. Gason chivé tjum la ka
mimiré :

- Yo ka kriyé mwen Pwason-lalin é zòt ki non
zòt ?

Yall ka vansé an prémyé épi i ka di :

- Non mwen sé Yall, gran frè mwen a sé
Taya yo ka kriyé'y.

Pwason-lalin ka di yo :

- Mwen fen.

Yall ka pran an kasav adan sak trésé'y la épi i
ka ba Pwason-lalin li. Pwason-lalin ka souri épi
i ka rimèsyé'y.

I ka manjé tou dousman ti mòso pa ti mòso.
Yall ka lumen difé, Pwason-lalin ka pran son-
mèy épi Taya ka alé lapèch kribich pou manjé
o swè. Yall ka alé jwen li obò larivyè-a, i ka
pran dlo-a dan an gran kalbas.

I ka souri ba Taya ki ja trapé douz bèl gro kri-
bich épi i ka di'y :

- Taya, ou sé pli gran péchè ki ni, mwen
kay fè chofé dlo épi o swè-a nou kay fè an gran
manjé, an manjé "Cacique".

Tjè Taya plen épi lajwa épi lògèy. Yall ka viré
pati pou i alé adan kay-la épi kalbas dlo a. I ka
dévidé dlo-a adan an gran bèl dobann koulè

66

visage du garçon, elle humecte ses lèvres craquelées. La caresse des doigts et la fraîcheur de l'eau ramènent le garçon à la vie, il ouvre les yeux.

Yall et Taya reculent vivement, le garçon à la chevelure d'écume a les yeux couleur de la mer.

- Je m'appelle Poisson-lune, et vous ? murmure le garçon à la chevelure d'écume.

Yall s'approche la première et dit :

- Je m'appelle Yall et mon frère aîné Taya.

- J'ai faim, dit Poisson-lune.

Yall prend dans son sac en vannerie une cassave et la donne à Poisson-lune.

- Merci dit Poisson-lune en souriant.

Il mâche lentement morceaux après morceaux. Yall allume le feu, Poisson-lune s'endort et Taya part pêcher des écrevisses pour le repas du soir.

Yall le rejoint à la rivière et puise de l'eau avec une grande calebasse.

Elle sourit à Taya qui a déjà attrapé douze grosses écrevisses et lui dit :

- Taya, tu es le meilleur pêcheur de la tribu, je vais faire chauffer de l'eau et nous ferons un festin de caciques ce soir.

Le cœur de Taya se remplit de joie et de fierté. Yall repart vers la hutte avec la calebasse d'eau. Elle vide l'eau dans une grande et belle poterie

rouj épi blan. Apré twazyèm vwayaj obò lari-
vyè a, i ka déviré épi Taya ki ka pòté an sak
trésé foul bak épi kribich. Yo ka mété dobann-
la anlè twa ròch alantou difé-a.

Déwò a lannuit ka penyen gran chivé plen zét-
wal li a é chanté sé gounouy-la ka bèsé laforé.

Yall ka jété sé kribich-la dan dlo cho a ki ni an
bon lòdè zépis, boutjé garni, piman, kloujirof.
Lè sé kribich-la tjuit, Yall ka mété yo dan dé ti
kwi.

Pwason-lalin ki koumnsé gaya, ka sòti adan
ranmak-la épi yo ka manjé tou lé twa alan-
tounn difé-a san fè bwi. Lè yo fini manjé,
Pwason-lalin ka di yo ki mannyè an matoutou
falèz pitjé'y lè i té ka sòti lachas. I érisi rivé
adan joupa'y, lafyèv-la krasé'y dan ranmak li a.
Epi apré Taya épi Yall ka rakonté'y ki mannyè
yo ka viv épi granpapa yo, Maol, dépi paran
yo mò épi yo pati chaché'y lè yo wè pa té ka

rouge et blanche. Au troisième voyage vers la rivière, elle revient avec Taya qui porte le sac en vannerie plein à ras bord d'écrevisses. Ils posent la poterie sur les trois pierres qui entourent le feu.

Dehors, la nuit aux longs doigts sombres peigne sa chevelure étoilée et le chant des grenouilles berce la forêt.

Yall plonge les écrevisses dans l'eau bouillante aromatisée de piments. Quand les écrevisses sont cuites, Yall les met dans des petits couis*.

Poisson-lune va mieux. Il se lève du hamac et ils mangent tous les trois en silence autour du feu. A la fin du repas, Poisson-lune leur raconte qu'il a été piqué par une mygale en revenant de la chasse. Il a pu rentrer dans sa hutte, mais la fièvre l'a terrassé dans son hamac.

A leur tour, Taya et Yall lui racontent qu'ils vivent avec leur grand-père Maol depuis la mort de leurs parents et qu'ils sont partis à sa recherche, inquiets

twouvé sé ti sijé anba pyéflanboyan-a. Yall ka di'y ki mannyè i kontan ti gounouy-la fèt épi an kokiyaj i pran anba pyéflanboyan-a é i pé ké jenmen séparé di'y.

Pandan an bon moman dan lannuit-la sé timanmay-la ka palé tou dousman é pawòl yo ka mélé épi chanté lannuit-la, épi pawòl apré pawòl yo ka lasé an lanmityé. Pwason-lalin ka ba Taya épi Yall ranmak li a épi i ka pran an lòt pou koy. Byen kontan tou lé twa, yo ka pran sonmèy. Sé lapli-a ki ka lévé yo, an lapli ki ka tonbé gra épi i ka krazé koy atè-a épi plézi. Laforé ka ladjé an lòdè rak, an lòdè latè mouyé. Yo tou lé twa ka sòti an kabann, Yall ka soukwé sann difé a pou fé i pri épi yo ka sòti. Lapli-a ni an ti mannyè cho, yo ka dansé tèt yo lévé an syèl ka tanté bwè sé gout dlo a.

Laforé ka koulé dlo é sé tianmay-la ka ri, ka dansé, yich lapli, yich lalin. Pwason-lalin, Taya épi Yall ka viré rantré épi yo ka séché kòyo obò difé-a. Yo ka manjé lé rèstan sé kasav la épi yonn dé ponm kanèl. Twa fwa solèy-la dis-parèt dèyè sé pyébwa-a, Pwason-lalin viré vini gaya. Taya épi Yall désidé yo ka déviré an bouk. Yonn a lòt ka di lòt ovwè. Tjè yo plen épi sonjman, zékla ri, pawòl mimiré, latandrès bokanté, alò pa ni pyès plas pou chagren. Taya épi Yall jwa lè yo ka viré jwen granpapa yo. Sèt fwa solèy rouj la disparèt dan lanmè épi lalin blan a monté dan syèl.

de ne plus voir d'objets sous le flamboyant. Yall lui dit qu'elle aime beaucoup la petite grenouille en coquillage qu'elle a prise au pied du flamboyant et qu'elle ne s'en séparera jamais.

Les enfants parlent une partie de la nuit, leurs chuchotements se mêlent au chant de la forêt et tissent, paroles après paroles, leur amitié. Poisson-lune laisse son hamac à Taya et Yall et en installe un autre pour lui. Ils s'endorment tous les trois heureux. La pluie les réveille, une pluie aux gouttes charnues qui s'écrasent avec volupté sur le sol. La forêt exhale une odeur âcre de terre mouillée. Ils se lèvent tous les trois, Yall attise le feu et ils sortent. La pluie est tiède, ils dansent, la tête levée vers le ciel, essayant de boire les gouttes d'eau.

La forêt ruisselle et les enfants rient et dansent, enfants de la pluie, enfants de la lune. Poisson-lune, Taya et Yall rentrent et se sèchent près du feu. Ils mangent les cassaves qui restaient et quelques pommes-cannelles.

Le soleil a disparu trois fois derrière les arbres, Poisson-lune a repris toutes ses forces. Taya et Yall décident de rentrer au village. Ils se disent au revoir. Leur cœur est si plein de souvenirs, de rires, de chuchotements, de tendresses partagées, qu'il n'y a pas de place pour la tristesse.

Taya et Yall retrouvent leur grand-père avec joie. Sept fois le soleil rouge glisse dans la mer et la lune blanche monte dans le ciel.

Pwason-lalin déviré mété sijé an pyé gran flan-boyan a. Sé moun bouk-la , zyé yo ka sòti an tèt yo, ka gadé Taya épi Yall kouri di, Pwason-lalin, bonjou. Yo tou lé twa ka pati alé bòd lanmè.

Sé nonm-la ka vini wè Maol, yo ka riproché'y kité ti yich li frékanté gason chivé lalin-la. Maol ka souri tou pandan i ka kouté yo épi i ka di yo :

- Kité ti yich mwen suiv sa tjè yo ka di yo.

Sé nonm-la ka viré pati san palé, tout moun ka rèspékté Maol, sé an manntò épi i konnèt tout plant lapotikè kréol.

Tan-a ka lasé lavi tout nonm épi zékla ri, lam épi rèv.

Poisson-lune est revenu déposer des objets au pied du grand flamboyant. Sous les yeux ébahis de la tribu, Taya et Yall courent vers Poisson-lune pour lui dire bonjour. Ils partent tous les trois vers la plage.

Les hommes viennent voir Maol et lui reprochent de laisser ses petits-enfants se lier d'amitié avec le garçon à la chevelure d'écume.

Maol les écoute en souriant puis leur dit :

- Laissez mes petits-enfants suivre leur cœur.

Les hommes repartent en silence, Maol est respecté pour sa sagesse et sa connaissance des plantes.

Le temps tisse la vie des hommes de rires, de larmes et de rêves.

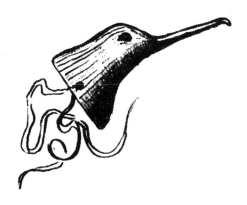

Lalin-la rouj oswè-a.

Sèt nom-zwézo, dé malfétè san fè pyès bwi, ka volé anlè bouk-la. Sé nonm-la ka tounen viré tou pandan yo ka dòmi, sé fanm-la ka mimiré adan sonmèy yo, sé timanmay-la yo menm ka plenn, mé pèsonn pa ka lévé an sonmèy.

Menm mannyè yo vini, menm mannyè yo pati. Mé yo chak ka tjébé an timanmay dan gran lanmen plen grif yo a : mouvman zèl yo tjé sé zétwal-la ; toufé tout rèv.

An sèl kri déchiré bonmaten-a, an bonmaten blé, dous épi plen bon lòdè. Sé prémyé man-man yich-la ki pa touvé timanmay li an kabann ki ka rélé kon sa.

La lune est rousse ce soir.

Sept hommes-oiseaux, silencieux et maléfiques survolent le village. Les hommes se retournent dans leur sommeil, les femmes murmurent dans leur sommeil, les enfants gémissent doucement dans leur sommeil mais nul ne se réveille.

Comme ils sont venus, ils sont repartis. Mais, entre leurs mains griffues, ils tiennent chacun un enfant : leurs battement d'ailes ont éteint les étoiles et étouffé les rêves.

Un hurlement déchire le matin bleu, doux et parfumé. C'est le hurlement de la première mère qui a découvert l'absence de son enfant.

Kon an boukan lapenn ka manjé tjè sé moun-la, sèt timanmay vilaj-la disparèt. Tout sé nonm ka pran kouri a kay Maol, yo tout ka rélé ansanm :

- Sé fòt gason chivé tjum la !

- Sé an jan voyé !

- Nou té dwèt tjwé'y ansanm i té déviré !

Lakòlè épi chagren ka toufé Taya, mé pyès pawòl pa ka sòti an bouch li. I tro jenn pou i sa lévé doubout douvan sé nonm "tribi-a" pou palé kant é kant épi yo. Maol, asiz dan ranmak li a, ka gadé sé nonm-la épi i ka atann san cho koy ki wélélé-a fini.

Lè chanté laforé-a viré koumansé bèsé syèl-la, Maol ka di :

- Yall, réyon lalin mwen a, disparèt osi. Sé pa gason chivé tjum la ki pran sé timanmay-la. Lannuit, dé gran zèl ki pa fè bwi é ki plen movèzté kouvè rèv mwen. Mwen pa té pé wè ayen, mé mwen sav, tjè mwen ka di mwen sé sé tala ki ka pòté zèl-la ki pran sé yich nou a.

Maol pé, san fè pyès bwi, sé nonm-la ka viré pati, yo ni gwo tjè, Maol pa jenmen ka manti.

Ansanm sé nonm-la pati, Taya ka di granpapa'y :

- Papa doudou, mwen ké alé wè Pwason-lalin, pétèt i ké pé édé nou ?

Maol ka pran tan'y pou i réponn, Taya ka gadé'y, granpapa'y ka sanm sa ki tou flègèdè,

Comme le feu, le chagrin dévore les cœurs, sept enfants du village ont disparu. Les hommes se précipitent chez Maol, tous crient en même temps :

- C'est la faute au garçon à la chevelure d'écume !

- C'est un mauvais esprit !

- Nous aurions dû le tuer dès son retour !

Taya est rempli de colère et de chagrin, mais les mots ne sortent pas de sa bouche. Il est trop jeune pour se dresser contre les hommes de la tribu et leur parler d'égal à égal. Maol, assis dans son hamac, regarde les hommes et attend patiemment que le tumulte des voix s'apaise.

Quand, de nouveau, le chant de la forêt berce le ciel, Maol dit :

- Yall, mon rayon de lune, a elle aussi disparu. Ce n'est pas le garçon à la chevelure d'écume qui a enlevé les enfants. Cette nuit, mes rêves ont été recouverts par de grandes ailes silencieuses et malfaisantes. Je n'ai rien pu voir mais je sais, mon cœur sait que ce sont les porteurs d'ailes qui ont enlevé nos enfants.

Maol s'est tu, en silence les hommes repartent le cœur lourd de tristesse, Maol ne ment jamais.

Taya, une fois les hommes partis, dit à son grand-père :

- Grand-père, je vais aller voir Poisson-lune, peut-être pourra-t-il nous aider ?

tou débousolé. I ka asiz obò'y dan ranmak-la épi i ka mété bra'y épi lafèksyon alantou zépòl li épi i ka di'y :

- Bon papa, mwen ké viré mennen'y, mwen ké viré mennen'y menm si mwen pou janbé dlo.

Maol ka fè an vyé ti souri, an souri ki ka tranblé kon an gout séren.

Maol ka tjébé Taya byen fò pa zépòl épi yo tou lé dé ka lévé .

- Taya, mon fi, ou a di Pwason-lalin sé zèl-la ki pa ka fè bwi épi ki plen movèzté toufé pandan lannuit-la tout rèv mwen. Alé mon fi épi viré mennen Yall, ti réyon lalin mwen a.

Vwa Maol la mouyé kon lapli. Taya ka kouri anlè tout londjè chumen-a ki ka alé a kay Pwason-lalin. Lè i rivé Pwason-lalin doubout douvan joupa'y-la, i ka di'y :

- Sa ou fè Taya, ou ka manjé épi mwen ?

Taya ka asiz épi i ka rifisé, i pa pé sa valé ayen, i ni twòp lapenn. Konsidéré vwa'y té pri an gòj li, i ka di :

- Yall épi sis dòt timanmay vilaj-la disparèt lòt lannuit. Granpapa mwen fè di'w zèl ki pa ka fè pyès bwi épi ki plen maléfis toufé rèv li.

Pwason-lalin ka gadé Taya épi i ka répété lantman :

- Zèl ki pa ka fè pyès bwi é ki plen maléfis, o! Manmandlo, sé sé nom-zwézo-a.

Maol ne répond pas tout de suite, Taya le regarde, son grand-père lui semble tout à coup si fragile et si perdu. Il s'assoit dans le hamac à côté de lui et l'entoure affectueusement de ses bras en disant :

- Je la ramènerai grand-père, je la ramènerai même si je dois aller de l'autre côté de la mer.

Maol esquisse un sourire, un sourire tremblant comme une goutte de rosée.

Maol serre les épaules de Taya puis ils se lèvent tous les deux.

- Taya, dit bien à Poisson-lune que des ailes silencieuses et malfaisantes ont étouffé mes rêves cette nuit. Va et ramène Yall, mon rayon de lune.

La voix de Maol est mouillée comme la pluie. Taya court tout le long du chemin qui mène chez Poisson-lune. Quand il arrive, Poisson-lune est devant sa paillotte et lui dit :

- Bonjour Taya, veux-tu partager mon repas ?

Taya s'assied et refuse, il ne peut rien avaler, il a trop de chagrin. Il dit d'une voix rauque :

- Yall a disparu avec six autres enfants la nuit dernière. Grand-père te fait dire que des ailes silencieuses et malfaisantes ont étouffé ses rêves.

Poisson-lune regarde Taya et répète lentement :

- Des ailes silencieuses et malfaisantes, oh ! Esprit de l'eau, ce sont les hommes-oiseaux.

Alò Taya, tou entjèt, ka mandé'y :

- Nom-zwézo-a sa sa yé ?

Pwason-lalin ka lévé épi i ka rantré dan kay-a, i ka akoupi douvan difé-a tou ka flichonnen é i ka mimiré :

- Taya, nom-zéwzo-a sé dé malfétè, zong yo gran pasé zong an malfini, kò yo sé kò nonm mé tèt yo ka sanm an tèt zibyé, an bèk filé kon an razwè. Pèsonn pa sav la yo sòti. Yo ka rété dan gran montangn-la ki ka kraché difé. Sé solèy tou yonn yo pè, sé jan lannuit, sé sa Manmandlo di mwen. Yo térib, sé dé rachma-bab, ou pé kwè mwen, mwen ja jwen yo.

Pwason-lalin ka fèmen zyè'y épi ka soukwé tèt li konsidéré i lé kouri dèyè an vizyon lanfè. Apré tou sa kanmarad li a di'y la, an sèl laflenm anparé Taya, alò i ka mandé'y :

- Ki mannyè pou fè pou viré trouvé Yall épi sé lé zòt la ?

- Les hommes-oiseaux, qu'est-ce que c'est ?, demande Taya inquiet.

Poisson-lune se lève, rentre dans la paillotte, s'accroupit près du feu en frissonnant et murmure :

- Taya, les hommes-oiseaux sont des êtres maléfiques, ils ont des ailes, leurs ongles sont des serres, ils ont un corps humain, mais leur visage est celui d'un oiseau au bec acéré. Nul ne sait d'où ils viennent. Ils habitent dans les flancs de la grande montagne de feu. Ils ne craignent que la lumière du soleil, car ce sont des êtres de la nuit, m'a dit l'Esprit de l'eau. Ils sont terribles et sans pitié, crois-moi, je les ai rencontrés.

Poisson-lune ferme les yeux et secoue la tête comme pour chasser une vision effroyable.

- Comment faire pour retrouver Yall et les autres? demande Taya effrayé par tout ce que son ami vient de lui raconter.

Pwason-lalin ka rouvè zyé'y, i ka gadé dwèt dou-van'y adan difé-a, i ka lévé épi i ka di Taya :

- Fòk sanblé tout sé solda-a épi atatjé sé nom-zwézo-a anlè lamontangn. Taya soté épi i ka réponn :

- Alé dan lamontangn, ou fou, pyès sé solda-a pé ké lé alé. Lamontangn sé an kòté moun pa pou alé. Yo di, an jou lamontangn ké kraché difé zantray li épi i ké tjwé nou tout. Fo pa bòdé'y, fo pa déranjé'y.

Pwason-lalin pran tout tan'y pou i gadé Taya épi an pil lapenn i di'y :

- Alò, sé timanmay-la pèdi, nou pé ké jen-men viré wè Yall !

Taya mété koy ka rélé :

- Sa pa posib !

I ka viré do ba Pwason-lalin épi i ka sòti adan kay-a, ka pran kouri. I pa lé yo wè zyé'y plen dlo. Pwason-lalin pa ka di an mo, pa ka fè an jès pou rityen li, i ka rèspékté chagren kanmarad li a épi san i pa di ayen, i ka atann i déviré.

Taya ka ajounou obò larivyè-a, i ka pran dlo, i ka pasé'y an fidji'y. Dlo fré a ka kalmé brilé zyé'y la. I ka viré lévé épi i ka pran an gran lès-pirasyon épi i ka gadé alantou'y. Epi tout koulè vèt la dépi tala ki près nwè a jik taa ki pli pal la, ka fè laforé palpité ; blé syèl la klè kon kristal, alò Taya ka sonjé i sé pé néyé koy adan'y si pa

Poisson-lune ouvre les yeux, fixe le feu un moment, se lève et dit à Taya :

- Il faut rassembler tous les guerriers et attaquer les hommes-oiseaux dans la montagne.

Taya sursaute et répond :

- Aller dans la montagne, tu es fou, aucun guerrier ne voudra y aller. La montagne est tabou. Une prédiction dit qu'un jour la montagne crachera le feu de ses entrailles et nous tuera. Il ne faut pas s'en approcher, il ne faut pas la déranger.

Poisson-lune regarde longuement Taya et dit tristement :

- Alors les enfants sont perdus et nous ne reverrons plus jamais Yall !

- Ce n'est pas possible ! hurle Taya et il tourne le dos à Poisson-lune et sort de la hutte en courant. Il ne veut pas montrer les larmes qui noient ses yeux. Poisson-lune ne dit pas un mot, ne fait pas un geste pour le retenir, il respecte le chagrin de son ami et attend son retour en silence.

Taya s'agenouille au bord de la rivière, prend de l'eau et la passe sur son visage. L'eau fraîche apaise la brûlure de ses yeux. Il se relève, respire à pleins poumons et regarde autour de lui. La forêt palpite de tous ses verts du plus sombre au plus clair, le bleu du ciel est si limpide que Taya pense qu'il pourrait s'y noyer s'il ne s'accroche pas aux nuages qui passent.

maré koy anlè sé niyaj-la ki ka pasé a.

An gran kam ka anparé'y, i sav i pé ké jenmen kité Yall an lanmen sé nom-zwézo-a. I ka déviré obò Pwason-lalin épi i ka di'y épi an vwa kam :

- Annou alé an vilaj-la, pétèt granpapa mwen ké pé fè sé solda-a alé an montangn-la.

Taya épi Pwason-lalin ka maché lé pli vit yo pé, yo ka pozé juskont. Lè yo rivé adan vilaj-la sé prémyé zétwal-la ka lumen dan syèl.

Taya ka alé dirèk kay granpapa'y épi Pwason-lalin. Maol, épi zyé nwè'y la, ka gadé an mitan zyé klè Pwason-lalin, i ka gadé'y jis an fon tjè'y. Pwason-lalin san brennen ka atann, Maol ka souri épi i ka di :

- Pwason-lalin, ou ni adan tjè'w lakansyèl rèv, rasin lanmityé, lonbraj chagren, difé kouraj, mé pwazon lahenn ou pa konnèt sa. Asiz épi nou kay manjé ansanm.

Pwason-lalin ka pèd pasiyans :

- Le granpatè, mwen ka rimèsyé'w pou manjé-a, mé ou sav nou pa ni tan manjé, i fòk nou sové sé timanmay-la.

Maol di yo :

- Koumansé pa manjé, moun pa ka alé goumen vant vid.

Tou pandan yo ka manjé a, Maol ka fè an sak kasav épi viann boukannen ba yo épi i ka kriyé sé solda-a.

Un grand calme s'installe en lui, il sait qu'il ne laissera jamais Yall aux hommes-oiseaux. Il retourne auprès de Poisson-lune et lui dit d'une voix calme :

- Allons au village, mon grand-père pourra peut-être convaincre les guerriers d'aller dans la montagne.

Taya et Poisson-lune marchent aussi vite qu'ils peuvent, ne prenant que le repos nécessaire. Les premières étoiles s'allument dans le ciel quand ils arrivent au village.

Taya va directement chez son grand-père à qui il présente Poisson-lune. Maol plonge son regard sombre dans le regard clair du garçon à la chevelure d'écume, il plonge jusqu'au fond de son coeur. Immobile Poisson-lune attend, Maol sourit et lui dit :

- Poisson-lune, il y a en toi l'arc-en-ciel des rêves, les racines de l'amitié, la brume du chagrin, le feu du courage, mais pas le poison de la haine. Assieds-toi et partage mon repas.

- Je te remercie grand-père, pour le repas mais nous n'avons pas le temps de manger, il faut sauver les enfants, répondit Poisson-lune d'une voix impatiente.

- Mangez d'abord, aller au combat le ventre vide, n'est pas bon, dit fermement Maol.

Pendant qu'ils mangent, Maol leur prépare un sac de cassaves et de viande boucanée, puis il appelle les guerriers.

Les guerriers répondent à son appel, dans la

Sé solda ka réponn prézan, mé dan limyé difé a, yo rikonnèt Pwason-lalin é sa pa ka plè yo.

Maol ka bay lòd :

- Pé la, Pwason-lalin sav ki moun ki chayé sé yich nou a. Sé sé non-mzwézo-a ki ka rété anlè lamontangn bouden difé. Es zòt paré pou pati?

Sé solda-a yonn a lòt ka gadé lòt, an sèl laflenm ka mété an vwèl anlè zyé yo, ka tòd tjè yo. Yonn di yo fini pa palé.

- Sa ka di nou Pwason-a ka di lavérité ? Sé jan gajé ki chayé sé yich nou davré nou asèp- té sé sijé-a dimi zannimo-taa ka fè a.

Lahenn ka fofilé kon an sèpan adan chak pawòl.

An lòt ka di :

- Si nou ka tjwé pwason-a, sé jan gajé-a ké rann nou sé yich nou a.

lumière du feu ils reconnaissent Poisson-lune et un murmure hostile s'élève.

Maol ordonne :

- Taisez-vous ! Poisson-lune sait qui a enlevé nos enfants. Ce sont les hommes-oiseaux qui vivent dans la montagne au ventre de feu. Etes-vous prêts à partir ?

Les guerriers se regardent, la peur voile leurs yeux, leur tord le cœur. L'un d'eux prend la parole.

- Qui nous dit que le poisson dit la vérité ? Ce sont les esprits qui ont enlevé nos enfants parce que nous avons accepté les objets de ce demi-animal.

La haine, tel un serpent, se glisse dans chaque parole.

Un autre ajoute :

- Si nous sacrifions le poisson, les esprits nous rendront nos enfants.

Oswè-a lalin-la rouj.

San yo fè an sèl ti bwi Pwason-lalin épi Taya, yo chak ka pran an sagé, Maol ja paré sé sak yo a, alò yo ka disparèt an mitan lannuit-la.

Maol pa ka di ayen, dayè pa ni ayen pou di, pyès pawòl pa pé démaré sèpan lahenn-la ki ka sentré tjè sé solda-a.

Lè yo wè yo pa ka wè sé gason-a ankò, yo vansé ayen menm. Es ayen ki lonbraj li, ès lannuit-la ka véglé yo, Maol, an sèl kou ka sanm sa ki ka vini pli an pli gran. Zyé'y koulè lannuit ka ranvoyé sé flanm difé-a, i térib doubout san brennen, san palé ka gadé lahenn épi laflenm sé solda-a. Sé nonm-la ka tjilé ayen menm, yo fini bat, alò yo ka bay alé.

La lune est rousse ce soir.

Silencieusement Poisson-lune et Taya prennent chacun une sagaie, les sacs préparés par Maol et disparaissent dans la nuit.

Maol ne dit rien, il n'y a rien à dire, aucune parole ne peut défaire l'étreinte du serpent haineux qui enserre le cœur des guerriers.

Ne voyant plus les garçons, les guerriers font un pas en avant. Est-ce seulement son ombre, est-ce l'illusion de la nuit mais Maol semble tout à coup grandir, grandir. Son regard de nuit reflète les flammes du feu, il est impressionnant, immobile, silencieux devant la haine et la peur des guerriers. Les hommes reculent d'un pas et s'en vont, vaincus.

Pwason-lalin épi Taya ka kouri an bon moman épi yo ka rété pou rifè kòyo. Yo ka désidé yo pé ké fè difé pou pèsonn pa sav la yo yé. Ti tan-a dous, Pwason-lalin épi Taya jenn, yo pa bizwen lontan pou rifè kòyo. Yo ka viré pati épi an bèl balan. Laforé-a plen ti bwi épi i ka mimiré tou long, sé jenn jan-a pa pè, yo sé zendyen, yich laforé, yo ka maché san fè an ti bwi, sé sèpan-a ka glisé alé obò yo san jenmen atatjé yo.

Yo pa bizwen palé pou yonn a lòt konprann lòt, épi menm lèspirasyon, menm kadans yo ka alé menm kòté-a pou yo fè menm bagay-la : Yo lé sové Yall épi tout sé lé zòt timanmay-la.

Taya ka sonjé i pa pé rété san Yall, vitès fwa i faché kòy pas i té ka suiv li toupatou épi o swè-a, i sé vann nanm li pou i maché obò'y.

Pwason-lalin ka sonjé Yall, Yall ki pa pè'y, li ki fèt an mannyè biza. I souri ba'y é mannyè i souri ba'y la mété plen limyè dan solitid li a. Li menm osi, sé lé mò pou i viré wè tifi-tala ki léjè kon an kolibri, bèl kon riflè lalin.

An mitan an syèl koulè lanbi, lanmontangn-la ki térib, ka monté an mitan larivyè lannuit-la. A lafendéfen, yo fini pa rivé, yonn a lòt ka gadé lòt épi yo ka souri. Tout kouri yo kouri a, san fè an sèl ti bwi an mitan lannuit-la ka travèsé laforé, rann yo pli kanmarad ki avan.

Douvan jou-a adan syèl blé a, yo ka asiz an bòdaj larivyè-a, yo ka manjé épi bwè. Yo ka benyen épi

Poisson-lune et Taya courent un long moment, puis ils s'arrêtent pour reprendre leur souffle. Ils décident de ne pas faire de feu pour ne pas se faire repérer. L'air est doux, Poisson-lune et Taya sont jeunes, ils n'ont pas besoin de beaucoup de repos pour que leurs forces reviennent. Ils repartent d'un bon pas. La forêt bruisse et murmure, les garçons n'ont pas peur, ils sont indiens, fils de la forêt. Ils marchent silencieusement et les serpents glissent près d'eux sans les attaquer.

Ils n'ont pas besoin de mots pour se comprendre, ils respirent, ils marchent au même rythme vers le même but : sauver Yall et les autres enfants.

Taya pense à Yall qui lui manque, il s'est fâché tant et tant de fois parce qu'elle le suivait partout et ce soir, il donnerait sa vie pour qu'elle marche près de lui.

Poisson-lune pense à Yall qui n'a pas peur de son étrangeté. Elle lui a souri et son sourire a éclairé sa solitude. Lui aussi donnerait sa vie pour revoir cette petite fille légère comme un colibri, belle comme un reflet de lune.

Dans le ciel rose nacré la terrible montagne émerge du fleuve de la nuit. Ils sont arrivés. Ils s'arrêtent enfin, se regardent et sourient. Cette longue course silencieuse dans la nuit à travers la forêt a renforcé leur amitié.

Dans le petit matin bleu, ils s'assoient au bord d'une rivière, mangent et se désaltèrent. Ils se bai-

ka jwé dan dlo kon dé pwason. Tjè yo ka pété épi lèspérans, sé lèspri lannuit épi sé ta laforé-a ki té yo pasé. Yo désidé yo ka bay monté anlè lamontangn avan solèy chofé.

Yo ka grafiyen monté an pyé douvan lòt san fòsé, épi kouto yo ki fèt adan ròch rouj, yo ka koupé lyann ki ka bré yo, épi sagé yo, yo ka ployé tout foujè ki jennen yo. Pli yo monté mwens ni pyébwa.

Solèy-la ka jwé zwèl séré épi brouyar-la, Taya épi Pwason-lalin magré fòsé yo fòsé pou maché, lafyèv frison ka pran yo. Dé lè pas yo pèd lisouf, yo ka rété épi yo ka kouté montangn-la ki plen épi difé. Pli yo ka vansé an tèt an ro montangn-la pli yo pè montangn-la lévé cho épi pété difé. Mé yo ka anni sonjé Yall pou tout laflenm yo té pé ni pran lavòl.

An sèl kou, yo ka tann an wélélé, yo ka gadé alantoun, yo ka wè an sèl gran fon. Yo ka vansé épi lè yo panché kòyo, yo wè Yall épi tout sé lé zòt timanmay-la.

Tou lé dé ansanm yo mété kòyo ka rélé :

  - Yall ! Yall !

Yall épi sé lé zòt timanmay ka wè yo alò yo sitan jwa ki yo mété kòyo ka dansé. Pwason-lalin épi Taya ka chèché sav ki mannyè yo kay pé désann an fon-a. Sé falèz pa toutafètman lis mé sa pa sifi pou yo sa désann.

Yo ka kriyé :

gnent, jouant dans l'eau comme des poissons. Leur cœur est gonflé d'espoir, les esprits de la nuit et les esprits de la forêt les ont laissés passer. Ils décident de monter tout en haut de la montagne avant que le soleil ne soit trop brûlant.

Ils montent régulièrement, coupant les lianes avec leurs couteaux de jaspe rouge, pliant les fougères avec leurs sagaies. Plus ils montent, plus la végétation se fait rare.

Le soleil joue à cache-cache avec le brouillard et malgré l'effort de la marche, Taya et Poisson-lune frissonnent de froid. Parfois ils s'arrêtent, le souffle court, pour écouter la montagne au ventre de feu. Plus ils se rapprochent du sommet, plus ils ont peur que la montagne se réveille. Mais il leur suffit de penser à Yall pour que la peur s'envole.

Tout à coup, ils entendent des cris, ils regardent autour d'eux et aperçoivent une crevasse. Ils s'approchent, se penchent et voient au fond de la crevasse Yall et les autres enfants.

Ils crient ensemble :

- Yall ! Yall !

Yall et les autres enfants les aperçoivent et sautent de joie. Poisson-lune et Taya se demandent comment accéder au fond. Les parois de la crevasse sont rugueuses mais pas assez pour s'y accrocher.

Ils crient :

- Tjébé rèd ! Nou kay chaché yonn dé lyann épi nou ka viré.

Yo ka pran kouri, dé zyé yo ka kléré tan yo kontan. Yo ka koupé sé lyann-la ki ka pann adan an gran akoma-boukan. Ansanm yo fini koupé sé lyann-la, yo viré pati ka kouri obò fon-a. Yo ka maré yo yonn a lòt épi yo ka maré an bout adan an gran ròch, yo ka voyé'y désann. Sé timanmay ka rélé lakontantman.

Pwason-lalin ka désann tou dousman, i pa sav si sé lyann-la ké sa pòté pwa'y. Lè i rivé anba, Yall ka tonbé dan bra'y. I ka karésé chuvé tifi-a épi i ka mandé'y :

- Es ou ké sa monté jis anlè a ?

Yall ka réponn li :

- Wi, mwen ni asé lafòs pou monté, sé nom-zwézo ba nou manjé. Nou té ti bren fwèt mé nou té pè kon pè fèt mé nou pa té jenmen fin. Atjòlman ou la épi Taya, nou sové, sé lannuit sèlman sé nom-zwézo-a ka vini.

Pwason-lalin ka rouvè bra'y, Yall ka trapé lyann-la épi i ka bay monté, i lès kon an ti mannikou. Sé lé zòt ka monté yonn apré lòt ssòf an dènyé piti ki tro fèb pou i monté tou yonn. Pwason-lalin ka pran'y anlè do épi sé li an dènyé ki ka sòti an fon-a. Lè i rivé anwo, Pwason-lalin ka konté sé timanmay-la ki sanblé alantounn Taya. Yo a sis, i ka viré konté yo pou i asiré koy.

I ka mandé Taya :

- Nous allons chercher des lianes et nous revenons ! Courage !

Ils partent en courant, leurs yeux brillent de bonheur. Ils coupent les lianes qui pendent des grands acomat-boucan. Une fois les lianes coupées, ils repartent en courant vers la crevasse. Ils les nouent une à une, attachent une extrémité à un solide rocher et lancent l'autre bout dans la crevasse. Les enfants hurlent de joie.

Poisson-lune descend lentement car il ne sait pas si les lianes supporteront son poids. Quand il arrive en bas, Yall se jette dans ses bras. Il caresse les cheveux de la fillette puis lui demande :

- As-tu assez de force pour grimper jusqu'en haut ?

Yall lui répond :

- Oui, j'ai assez de forces, les hommes-oiseaux nous ont nourris. Nous avons eu un peu froid et très peur mais jamais faim. Maintenant tu es là avec Taya, nous sommes sauvés, les hommes-oiseaux ne viennent que la nuit.

Poisson-lune ouvre le cercle protecteur de ses bras, Yall attrape la liane et elle grimpe avec l'agilité d'un jeune manicou*. Les autres la suivent sauf un qui est trop petit pour grimper tout seul. Poisson-lune le porte sur son dos et quitte en dernier la crevasse. Arrivé en haut, Poisson-lune compte les enfants groupés autour de Taya. Il y en a six, il recompte pour être sûr.

- Ou té byen di mwen sé sèt timanmay sé nom-zwézo-a té pran.

- Mé wi, réponn Taya.

Yall, dé zyé'y plen dlo, ka di yo épi an tou piti ti vwa ka tranblé :

- Sé nom-zwézo-a mennen'y alé, nou tann li ka rélé. Nou kwè yo manjé'y é sé menm bagay-la yo ka sonjé fè nou.

Solèy-la ka koumansé glisé désann dousman dèyè do montangn-la. Taya ka démaré lyann-la épi i ka lové'y. Ti gwoup timanmay-la ka pran chumen laforé.

Wap, an sèl kou lannuit-la soukwé gran chivé nwè'y la ki plen zétwal alò yo tann mové chanté sé zèl-la.

Taya ka di Pwason-lalin :

- Annou voyé sé timanmay-la séré anba bwa-a, Yall ké mennen yo pandan tan-a nou menm nou kay chaché rityenn sé nom-zwézo-a.

San fè pyès dézòd, sé timanmay-la ka séparé, tjè yo gro, ès yo ké jenmen viré wè kòyo a lafen lannuit-tala.

Yall ka pran douvan épi pli piti-a anlè do'y. Yo ka bay désann montangn-la, bouch yo sèk, tjè yo ka bat.

Pwason-lalin épi Taya ka démaré sé lyann-la pou yo sa bat sé nom-zwézo-a.

Il demande à Taya :

- Tu m'avais bien dit que sept enfants avaient été enlevés par les hommes-oiseaux.

- Oui, répond Taya.

Yall, les yeux noyés de larmes dit d'une voix tremblante :

- Les hommes-oiseaux l'ont emporté, nous l'avons entendu hurler. Nous pensons qu'ils l'ont mangé et qu'ils nous réservent le même sort.

Le soleil commence à glisser lentement derrière la montagne. Taya détache la liane et l'enroule. La petite troupe se dirige vers la forêt.

D'un seul coup, la nuit secoue sa longue chevelure sombre parsemée d'étoiles et ils entendent le chant maléfique des ailes.

Taya dit à Poisson-lune :

- Envoyons les enfants se cacher dans la forêt, Yall les conduira et nous essaierons de retenir les hommes-oiseaux.

Les enfants se séparent en silence le cœur serré, se reverront-ils au bout de la nuit ?

Yall prend le commandement de la petite troupe avec le plus petit sur son dos. Ils dévalent les pentes de la montagne, la bouche sèche, le cœur battant.

Poisson-lune et Taya dénouent les lianes pour frapper les hommes-oiseaux.

Oswè-a lalin-la rouj.

Sé nom-zwézo-a ka bay kouri anlè yo, zèl yo ka toufé tout rèv épi tout zétwal. Pwason-lalin épi Taya kolé do kont do, yo ka fè sé kout lyann-la pété kon dé kout tonnen.

Chak kout zong sé nom-zwézo-a raché mòso ti lapo mòl yo a, san ka koulé an menm tan-a latè ka bwè'y. Lè ou wè Pwason-lalin épi Taya rivé fè yonn sé nom-zwézo pèd lékilib, an kout sagé ka pati kon an kout zéklè an mitan tjè nonm zwézo-a, ansanm tjè'y pété, nom-zwézo-a ka tounen lapousyè ròch. Yo ja rivé tjwé kat nom-zwézo mé sé kout bèk-la épi sé kout zong-la ka déchiré ti kò kako yo a, yo mantjé a blok, yo ka soufè akwèdi

La lune est rousse ce soir.

Les hommes-oiseaux chargent, leurs ailes étouffent les rêves et les étoiles. Poisson-lune et Taya dos à dos font claquer les lianes.

Les hommes-oiseaux griffent leur peau tendre et la terre boit leur sang. Quand Poisson-lune et Taya réussissent à en déséquilibrer un en vol, vifs comme l'éclair ils lancent leur sagaie dans le cœur de l'homme-oiseau qui devient aussitôt poussière de pierre. Ils ont réussi à en tuer quatre, mais coups de bec et coups de serres ont lacéré leurs corps bruns, ils sont épuisés et la douleur comme une coulée de feu les brûle.

Le ciel perd ses couleurs sombres, les hommes-

sé difé ki ka koulé an tout kò yo.

Syèl-la ka koumansé kléré, sé nom-zwézo-a ladjé goumen-a épi yo ka pran lavòl pou gran fon-a. An van sòti an lanmè ka lévé alò Pwason-lalin ka tann vwa dlo Manmandlo a ka di'y :

- Sé nom-zwézo-a sé yich lannuit, solèy sé lennmi yo !

Pwason-lalin ka sanblé dènyé fòs ki rété'y épi i ka rélé :

- Zòt pa pyès zwézo, zòt kapon, zòt fèb !

Sé nom-zwézo-a ka gadé syèl-la ki ka koumansé blanchi an tèt lamontangn, Yo ka tjansé an bòdaj falèz-la, alò épi an gran kout zèl tou pandan yo ka rélé lahenn yo, yo ka volé anlè Pwason-lalin épi Taya.

Pwason-lalin épi Taya ka fouté yo an dènyé kout sagé épi yo ka tonbé a jounou ka pèd tou san yo, ladoulè épi lafatig ka krazé yo.

Sé nom-zwézo-a pa ka santi kòyo, yo ka pozé alantounn yo, yo paré pou pran tout tan yo pou raché sé dé gason-a an ti mòso.

Adan bonmaten blé a, solèy ka ba lamontangn an bèl bo plen lò.

Pwason-lalin ka rouvè zyé'y épi i ka trouvé kòy zyé dan zyé épi gran zyé nwè Yall la, Yall ka souri ba'y.

Ni twa gwo ròch alantounn yo ki ka sanm zwézo. Pwason-lalin ka tounen tèt li épi i ka wè

oiseaux abandonnent le combat et s'envolent vers la crevasse. Le vent de la mer se lève et Poisson-lune entend la voix fluide de l'Esprit de l'eau murmurer :

- Les hommes-oiseaux sont des enfants de la nuit, le soleil est leur ennemi.

Poisson-lune rassemble ses dernières forces et hurle :

- Vous êtes de pauvres oiseaux déplumés, lâches et faibles !

Les hommes-oiseaux regardent le ciel qui pâlit au sommet de la montagne, ils hésitent au bord de la crevasse, puis d'un puissant coup d'aile ils fondent sur Poisson-lune et Taya en poussant des cris de haine.

Poisson-lune et Taya frappent une dernière fois avec leurs sagaies, ils tombent à genoux, puis s'écroulent en sang, terrassés par la douleur et la fatigue.

Les hommes-oiseaux, triomphants, se posent autour d'eux pour les dépecer lentement.

Dans le matin bleu, le soleil donne un baiser d'or à la montagne.

Poisson-lune ouvre les yeux et rencontre les grands yeux noirs de Yall qui lui sourit.

Trois grands rochers les encerclent, ils ont la forme d'oiseau. Il tourne la tête et voit Maol qui s'occupe de Taya.

Maol ka swen Taya.

Van lanmè a ka lévé, Pwason-lalin ka tann, dous kon dlo lasous, vwa Manmandlo ka mimiré :

- Taya épi'w, zòt érisi ! Jenmen pa i pé ké ni nom-zwézo anlè lil-la.

Pwason-lalin ka soupiré, yo érisi épi yo byen vivan.

I ka souri ba Yall épi i ka mandé'y :

- E pou'w ki mannyè sa pasé ?

Yall akoupi ka rakonté :

- Mwen mennen sé timanmay-la an bouk épi mwen di legranpatè zòt té ka goumen anlè a épi sé nom-zwézo-a. Legranpatè pran zèb, ponmad, an ti pòt an tè, kasav épi viann bou- kanné, an kalbas dlo épi nou viré monté anlè lamontangn. Tribi-a pa lé ou viré pyès ankò an bouk. Tout lidé yo, sé wou ki mennen sé nom- zwézo malfétè a.

Lè Pwason-lalin tann sé dènyé pawòl-tala, tout lèspérans i té ni pou yo aksèpté'y volé an mil

Le vent de la mer se lève et Poisson-lune entend la voix fluide de l'Esprit de l'eau murmurer :

- Vous avez réussi, Taya et toi ! Il n'y aura plus jamais d'hommes-oiseaux sur l'île.

Poisson-lune soupire, ils ont réussi et ils sont vivants. Il sourit à Yall et lui demande :

- Et pour toi, comment cela s'est passé ?

Assise sur ses talons, Yall raconte :

- J'ai emmené les enfants au village et j'ai dit à grand-père que vous vous battiez là-haut avec les hommes-oiseaux. Grand-père a pris des herbes et des onguents, un petit pot de terre cuite, des cassaves, de la viande boucanée, une calebasse d'eau et nous sommes remontés dans la montagne. La tribu ne veut plus que tu viennes jusqu'au village. Ils sont persuadés que c'est toi qui a attiré les hommes-oiseaux maléfiques.

En entendant ces derniers mots, l'espoir de Poisson-lune d'être accepté par le village se brise

mòso ka fè tjè'y senyen. Jenmen pa yo ké rikonnèt i sé yonn adan yo. Yall ka divinen lapenn li alò i ka dépozé anlè fidji'y an ti bo léjè kon an plim. Pwason-lalin ka souri, dimen sé ké an lòt jou.

Taya ka rouvè zyé'y, i ka wè syèl-la blé anlè tèt li, i ka wè granpapa'y, Yall épi Pwason-lalin, i sitan jwa tjè'y ka pété, kochma-a fini.

Taya ka mandé :

  - Dépi konmen tan nou la ?

Granpapa'y ka réponn :

  - Dé fwa solèy rouj la plonjé an lanmè, dé fwa lalin blan a monté dan syèl. Kouman zòt yé gason ?

Taya épi Pwason-lalin ka dérédi, yo ka fè lagrimas, yo ti bren ka soufè, magré sa yo ka santi kòyo byen.

Alò Maol ka di yo :

  - Si zòt ka santi zòt gaya, nou kay bay désann an bouk.

Pwason-lalin épi Taya ka fè yonn dé pa dan gran solèy-la,yo jenn, yo ja viré rupran lafòs. Yo ka menyen sé twa ròch alò lè yo sonjé lannuit-la yo pasé a, lafyèv frison pran yo, épi yo ka pati, Maol ka maché douvan.

Déviré a byen pasé, yo ka santi kòyo byen vivan épi yo ansanm.

Rivé an bòdaj bouk, yo ka pran chumen bòd

en mille éclats qui font saigner son cœur. Jamais ils ne le reconnaîtront comme l'un des leurs. Yall devine sa peine et pose sur sa joue, un baiser doux comme une plume. Poisson-lune lui sourit, demain est un autre jour.

Taya ouvre les yeux, il voit le ciel bleu, son grand-père, Yall et Poisson-lune, son cœur se gonfle de joie, le cauchemar est terminé.

- Depuis combien de temps sommes-nous là ? demande Taya.

Son grand-père lui répond :

- Deux fois le soleil rouge a plongé dans la mer et la lune blanche est montée dans le ciel. Comment vous sentez-vous les garçons ?

Taya et Poisson-lune s'étirent et font la grimace, ils ont encore un peu mal mais ils se sentent bien.

- Si vous vous sentez assez forts, nous allons redescendre vers le village, dit Maol.

Poisson-lune et Taya font quelques pas au soleil, ils sont jeunes, leurs forces sont vite revenues. Ils touchent les trois pierres en frissonnant au souvenir de cette nuit terrible puis ils s'en vont, Maol ouvre la marche.

Le retour se passe sans incidents, ils ne parlent pas, ils savourent le plaisir d'être vivants et ensemble.

Arrivés près du village, ils prennent le chemin qui mène à la plage, ils s'asseyent face à la mer

lanmè, yo ka asiz douvan lanmè-a pou manjé. Tou dousman solèy-la ka glisé désann an lanmè, san palé fò Maol ka mandé :

- Pwason-lalin sa ou konté fè.

Pwason-lalin ka gadé sé kanmarad li a, zyé'y plen lanmou épi i ka di yo :

- Zòt sav mwen pa ni ayen a fè isi a. Mwen ké pati, mwen kay viv rèv-la mwen té fè épi Lifou. Mwen kay chaché trouvé péyi lézansèt, Granforé-a oti gran Sèpan dlo dous la ka kléré épi ka glisé.

Maol ka mété lanmen'y anlè zépòl Pwason-lalin épi i ka di'y :

- Sé ou ki sové Yall, ti réyon lalin mwen a, jenmen ou tann jenmen mwen pé ké pé rimè-syé'w. Pran pirog mwen a épi pati viv rèv ou a. Mwen ké fè an lòt pou Taya.

Yo ka lévé épi yo ka alé obò pirog-la. Taya épi Yall sé byen lé Pwason-lalin rété épi yo mé yo sav lavi'y an danjé : sé géryé-a ké

et mangent. Le soleil glisse lentement dans la mer, Maol demande doucement :

- Que penses-tu faire, Poisson-lune ?

Poisson-lune regarde ses amis avec tendresse et leur dit :

- Ma place n'est pas ici. Je vais partir, je vais vivre le rêve que j'avais fait avec le Fou. Je vais retrouver la terre des Ancêtres, la grande forêt dans laquelle brille et glisse l'immense Serpent d'eau douce.

Maol pose sa main sur l'épaule de Poisson-lune et lui dit :

- Tu as sauvé Yall, mon rayon de lune, je t'en serai à jamais reconnaissant. Prends ma pirogue pour vivre ton rêve. J'en construirai une autre pour Taya.

Ils se lèvent et vont vers la pirogue. Taya et Yall voudraient bien que Poisson-lune reste mais ils savent que c'est dangereux pour lui : les guer-

tjwé'y. Pou yo pa séparé kòyo lamenm, sé timanmay-la désidé yo ka dòmi anlè laplaj épi tout zétwal an syèl ka véyé yo. Maol ka kité yo épi i ka déviré an bouk pou préparé vwayaj Pwason-lalin-la. Sé timanmay-la ka palé tou piti, tou piti dan lannuit plen zétwal la épi yo fini pa pé.

Taya ni gwo tjè, kanmarad li a ka pati mé i sav byen i pa té ké jenmen pé suiv li. Vwayajé pa ka di'y ayen épi i enmen lil li a, i pa lé pati kité'y épi Maol ni sitan bagay pou montré'y ankò.

Yall limenm la sé byen enmen sav sa ki ni lòt bò lorizon, gran van andéro ka kouri dan tout venn kò'y ; i ja sav an jou i ké kité lil-la.

Pwason-lalin tris é an menm tan i présé pati, rèv li a viré koumansé tarodé'y, i fòk i viv li. Lanmizik lanmè-a anlè sab-la fè yo pran son-mèy. Lè jou rouvè, i karésé zyé yo épi dwèt blé'y la ki fè yo lévé an sonmèy.

Maol ja la, dan pirog-la i ja mété an panyen kasav, an panyen viann boukanné épi dé twa gwo kalbas plen mabi.

Pwason-lalin ka pran Taya épi Yall dan bra'y. Maol ka mété dé lanmen'y anlè zépòl li épi i ka di épi anlo lafèksyon :

  - Vwayajé jisatan ou twouvé rèv ou a.

Pwason-lalin épi Taya ka pousé pirog-la an lanmè, Pwason-lalin ka batjé, i ka pran pagay -

riers pourraient le tuer. Les enfants, pour ne pas se séparer tout de suite, décident de dormir sur la plage à la belle étoile. Maol les laisse et retourne au village pour préparer l'expédition de Poisson-lune. Les enfants chuchotent dans la nuit étoilée puis ils se taisent.

Taya a le cœur lourd : son ami s'en va, mais il sait qu'il ne pourrait pas le suivre. Les voyages ne l'attirent pas, il aime son île, il ne veut pas la quitter et Maol a encore tant de choses à lui apprendre.

Yall, elle, a envie de savoir ce qu'il y a de l'autre côté de l'horizon, dans son sang court le vent du large ; elle sait qu'un jour elle quittera l'île.

Poisson-lune est triste et en même temps impatient de partir, son rêve endormi s'est réveillé, il faut qu'il le vive.

Bercés par la mer, ils se sont endormis. Ils se réveillent par les doigts bleutés du jour qui caressent leurs paupières.

Maol est déjà là, il a mis dans la pirogue un panier de cassaves, un panier de viande boucanée et de grosses calebasses d'eau douce.

Poisson-lune serre Taya dans ses bras puis Yall. Maol lui pose les deux mains sur les épaules et lui dit affectueusement :

- Va au bout de ton rêve.

Poisson-lune et Taya poussent la pirogue à la mer, Poisson-lune saute dedans, prend la pagaie, lève

la, ka lévé an lanmen épi i ka pati. I pa pè, rèv li a ka plen tjè'y épi i sav la i yé a, Manmandlo ka véyé anlè'y.

Taya épi Maol déviré an bouk, Yall limenm, i rété anlè plaj-la, i rété lontan ka gadé lorizon épi tou dous i mimmiré :

> Pwason-lalin
> frè dlo mwen
> frè rèv mwen
> ki tan ou ké déviré ?

la main et s'en va. Il n'a pas peur, son rêve habite son cœur et il sait que l'Esprit de l'eau veillera sur lui où qu'il soit.

Taya et Maol sont rentrés au village, Yall est restée sur la plage, longtemps elle a fixé l'horizon et doucement elle a murmuré :

Poisson-lune
mon frère d'eau,
mon frère de rêve,
quand reviendras-tu ?

LEXIQUE
*Lambi : coquillage comestible, gastéropode
aux parois de nacre rose*
Manicou : petit marsupial omnivore
Cassave : galette faite avec de la farine de manioc
Coui : demi-calebasse servant de récipient

Collection La Légende des Mondes Jeunesse
Martine Michon, Alliette Sallée
Denis Rolland

Déjà parus

Contes du Rwanda, E. GASARABWE.
Blanchette et ses chevreaux face aux dangers du monde, Conte français pour le Rwanda, E. GASARABWE.
Contes de l'île de La Réunion, I. HOARAU, A. VANDEVELDE.
Contes toupouri du Cameroun, La sorcière et son fils, S. KLEDA.
Contes du Maghreb, LUNDJA.
Contes de la lumière et du gel, Islande, P. del PERUGIA.
Contes et légendes tandroy, SAMBO.
Contes Zaghawa du Tchad, M.M. et J. TUBIANA, 2 tomes.
Contes blancs d'Afrique noire, J. VAN HEE.

Collection La Légende des Mondes
dirigée par Maguy Albet, Denis Rolland,
Martine Michon et Alliette Sallée.

Dernières parutions

Didier LEMAIRE, *Contes et récits métissés de Guyane,* 1998.

Najet MAHMOUD, *Contes du Grand Sud tunisien,* 1998.

Catherine FOURGEAU, *Mami Wata et autres contes pour aujourd'hui,* 1998.

Clémente MAMANI LARUTA, *Parlanaka, contes et légendes aymaras des hauts plateaux boliviens,* 1998.

Zoé VALASSI, Anna ANGELOPOULOU, Claire MONFERIER, *Le petit paon et la pièce d'or et autres contes grecs* (bilingue français-grec), 1999.

Najet MAHMOUD, *Le Jardin aux Marabouts et autres contes du Grand Sud tunisien,* 1999.

François-Xavier DAMIBA, *Dieu n'est pas sérieux,* 1999.

Jean-Louis ROBERT, *Larzor et autres contes créoles* (bilingue créole-français), 1999.

Achevé d'imprimer par Corlet Numérique – 14110 Condé-sur-Noireau
N° d'Imprimeur : 1741 – Dépôt légal : septembre 1999 – Imprimé sur DemandStream
Imprimé en UE